ESPAÑA

ESPAÑA

Fotografías

Juan Antonio Fernández
Covadonga de Noriega

Comentarios a las ilustraciones

Juan Antonio Fernández

INCAFO

Editor: *Luis Blas Aritio*

Directora editorial: *Margarita Méndez de Vigo*

Diseño: *Myriam López Consalvi*

Copyright © derechos universales ❤ *Incafo Archivo Fotográfico*, 1995

Reservados todos los derechos

Edita ❤ *Incafo Archivo Fotográfico*, Madrid (España)

Filmación: *Equipo Párrafo*

Fotomecánica: *Cromoarte, S.A.* Madrid

Impresión: *Julio Soto, S.A.* Torrejón de Ardoz, Madrid

Encuadernación: *Alfonso y Miguel Ramos, S.A.* Madrid

I.S.B.N.: *84-8089-023-1*

Depósito Legal: *M-18.732-1995*

CONTENIDO

A MANERA DE PRÓLOGO

No resulta fácil descubrir España. Sobre sus 504.788 kilómetros cuadrados de superficie rugosa y variopinta pesan muchos siglos de historia y de cultura que alcanzaron su apogeo en los siglos XV y XVI con la gran aventura americana.

No resulta sencillo descubrir España, una península bañada por las aguas de tres mares: el Mediterráneo, el Atlántico y el Cantábrico y a la que pertenecen dos archipiélagos afortunados por su clima y su paisaje: el balear, avanzadilla española en el Mediterráneo, y el canario, baluarte hispánico en la costa atlántica africana.

No resulta simple descubrir España, formada por la amalgama de diferentes civilizaciones: iberos, celtas, fenicios, romanos, cartagineses, vándalos, suevos, alanos, judíos, árabes..., que constituyeron el amplio mosaico de regiones que se nos ofrecen hoy con su riqueza y variedad de costumbres, e incluso de idiomas.

España se nos presenta, cuando el siglo XX toca a su fin, como un calidoscopio gigantesco que muestra cada vez una imagen nueva y diferente a la anterior. Desde sus primeros pobladores, que dejaron en Altamira y en muchas otras cuevas las improntas de su arte, hasta los últimos genios de la pintura como Picasso, Miró y Dalí, la historia, el arte y la cultura han quedado reflejados sin interrupción en pueblos, ciudades, monumentos y museos.

Esa diversificación de costumbres y culturas, esos contrastes de su paisaje, ese peso de la historia que impregna todos sus rincones, no permiten sintetizar fácilmente el patrimonio natural y cultural de una nación de Europa que, siglo tras siglo, ha dado muestras fehacientes de su vocación universal.

Vamos a tratar en las páginas de este libro, esbozar ese conjunto de Comunidades que llamamos España y lo vamos a hacer, recorriendo su geografía de una manera más o menos ordenada, comenzando por Galicia, el *Finis Terrae* de los romanos, y concluyendo en el archipiélago canario, en las conocidas Islas Afortunadas.

GALICIA

La región gallega, donde se encontraba el *Finis Terrae* de los romanos, ocupa el noroeste de la Península. Una misma lengua, el gallego, une a las cuatro provincias: La Coruña, Lugo, Orense y Pontevedra, y una ciudad, Santiago de Compostela, sintetiza toda la importancia de Galicia. Una amplia cultura popular y un riquísimo folklore enriquecen estas tierras septentrionales españolas.

Sus abundantes ferias y mercados al aire libre permiten adquirir el amplio muestrario de las artesanías locales basadas en los productos derivados de la madera y de la alfarería. La cerámica de **Sargadelos** es la más conocida. En las danzas tradicionales nunca falta la gaita y en todas las romerías están presentes las famosas *meigas* o brujas de la tradición gallega. En sus construcciones, la presencia de los hórreos, los bellísimos *cruceiros* en las encrucijadas de los caminos y sus "pazos" o casas señoriales son sus notas más características.

En el complejo folklore gallego el carnaval ocupa un importante papel y es el que posee un ritual más completo. El domingo de Septuagésima es el denominado *areleiro,* porque se tiran *farelos* (salvado y harina); el jueves siguiente es el de los *compadres* o de los hombres; el domingo de Sexagésima se conoce como *corredeiro* y en él solían correrse los gallos. A continuación sigue el jueves de las *comadres* o de las mujeres. El domingo, lunes y martes de carnaval se denominan Antroido, Entroido y Antruejo.

Durante el mes de mayo en distintos puntos de Galicia se construyen los *maios,* unos armazones normalmente cónicos o en forma de cruz, recubiertos de elementos vegetales. En muchas poblaciones se establece un concurso en el que toman parte grupos de muchachos que giran alrededor del *maio* interpretando cantares que critican a todo el mundo, mientras golpean el suelo con un palo. En **Redondela** (Pontevedra), en la fiesta del *Corpus Christi,* además de la mítica "coca", una especie de dragón en cartón-piedra en cuyo interior se introducen los niños, destacan en la procesión las figuras de las "burras" y las "penlas". Las "burras" son señoras de cierta edad que bailan llevando sobre sus hombros a una niña pequeña, vestida de blanco y con una falda almidonada por cuyo borde la sujeta y que recibe el nombre de "penla". El día de Santiago tienen lugar en **Santiago de Compostela** solemnes celebraciones en la Catedral y en la plaza del Obradoiro.

El 29 de julio, festividad de Santa Marta, es día de romería en **Las Nieves,** provincia de Pontevedra. En la procesión figuran diversos ataúdes, algunos de los cuales están ocupados por aquellas personas que viéndose en peligro de muerte hicieron a la Santa tan singular promesa. Este tipo de procesiones se realiza también en numerosos pueblos gallegos. El primer domingo de julio tiene lugar en **Vivero,** provincia de Lugo, *A rapa das bestas,* en la que se concentran los caballos que viven en los montes en libertad para cortarles las crines. Esta especie de feria, que se celebra en varias poblaciones, recibe asimismo el nombre de "los curros", ya que es en los "curros", una especie de corrales, donde se marca y se corta las crines a los caballos salvajes. **Betanzos** (La Coruña) festeja el día de San Roque con las danzas de labradores y marineros y la *gira a los Caneiros,* con paso del río Mendo en barquitas engalanadas e iluminadas con farolillos.

La cocina gallega es una cocina marinera y campesina. El pulpo es uno de los platos más populares en Galicia y es preparado de muy diferentes formas. La "empanada gallega" admite en el interior de dos finas capas de pasta azafranada, y aceitada para que no se seque, todo tipo de ingredientes. El plato más famoso es el "lacón con grelos". El lacón es la pata delantera del cerdo cocida y los grelos son los cogollos del nabo pequeño; el plato hervido se sirve acompañado de un chorizo y unas patatas o "cachelos". En el caldo gallego entran además de berzas, patatas y alubias, jamón, chorizo y costillas de cerdo. Los mariscos gallegos: ostras, centollos, nécoras, percebes, almejas, mejillones... son famosos en todo el país. Un plato muy típico es la "vieira", un marisco que se sirve en su propia concha (la concha que llevaban en sus capas los peregrinos del Camino de Santiago) y que se guisa haciendo un picadillo con la carne del animal, pimiento, cebolla, perejil y pan rallado, pasado todo por el horno.

Entre los postres gallegos, además de las sabrosas tartas, como la de Santiago, hecha de almendra, y de las *filloas,* una especie de tortillas dulces, destacan los quesos como los de "tetilla", hechos con leche de vaca y de suave sabor. El vino típico, que se consume en taza, es el de Ribeiro y debe tomarse en el lugar, ya que puede estropearse en los traslados. El vino blanco denominado Albariño es de gran calidad. La bebida gallega más popular es la *queimada,* que se confecciona en el momento con orujo (un típico aguardiente gallego), limón y azúcar a los que se prende fuego.

El origen de la ciudad de **Santiago de Compostela,** enclavada entre los ríos gallegos Tambre y Ulla, se sitúa en torno a la segunda década del siglo IX cuando, según cuenta la tradición, el obispo Teodomiro comunicó al rey asturiano Alfonso II el hallazgo milagroso de un sepulcro que contenía los restos del apóstol Santiago. La catedral posee una admirable estructura románica en la que destacan su planta de cruz latina, el ábside con girola y las capillas radiales. La construcción se terminó triunfalmente en el año 1188 con el famoso Pórtico de la Gloria en la fachada principal, obra del maestro Mateo, considerada como la pieza cumbre de la escultura románica española. La fachada del Obradoiro constituye el frente de la Plaza de España, uno de los más bellos espacios urbanos europeos en el que se entremezclan las formas románicas de la colegiata de Santa María y el palacio episcopal, de Diego Gelmírez, del siglo XII, uno de los pocos ejemplos del románico civil que quedan en España, con las renacentistas del Hospital Real, hoy Hostal de los Reyes Católicos, y las neoclásicas del palacio de Rajoy.

Elementos de la arquitectura civil y religiosa de la Edad Media y del Renacimiento se encuentran también integrados en un tejido urbano de gran valor arquitectónico en el que destacan las construcciones de los siglos XVI y XVIII. Junto a los típicos soportales de su casco urbano hay que citar la colegiata de Santa María de Sar, del siglo XV, con un claustro románico, las casas del Deán y del Cabildo, la Universidad Neoclásica... La ciudad de Santiago de Compostela, declarada Patrimonio de la Humanidad, une a la irreemplazable singularidad de sus obras maestras románicas y góticas, la importancia de ser un foco de ininterrumpida peregrinación cristiana, lo que la convierte en un lugar espiritual único en el mundo sólo comparable con Jerusalén o con el Vaticano.

El Camino de Santiago penetraba en tierras gallegas por la provincia de Lugo, procedente de León, a través del puerto de Piedrafita dejando a su derecha la sierra de los Ancares, una de las comarcas naturales más salvajes de España. En **Cebreiro** se conserva un núcleo de "pallozas", primitivas viviendas muy semejantes a las que formaban los castros celtas, así como un templo prerrománico fechado en los siglos IX y X. En él se expone un cáliz conocido como el "Santo Grial gallego".

Tras visitar el monasterio de Samos, uno de los centros culturales más conocidos en la Edad Media, se llegaba a **Sarria,** presidida por una fortaleza en ruinas. De ahí el peregrino se encaminaba a **Portomarín,** un pueblecito medieval cuyos monumentos, las iglesias románicas de San Pedro y San Nicolás, han sido trasladados a un nuevo enclave ya que el primitivo fue inundado por las aguas del embalse del Miño. **Palas do Rei** se encuentra rodeado de un excepcional conjunto románico.

La siguiente parada era **Melide,** ya en la provincia de La Coruña, con la iglesia de Santa María, la iglesia del antiguo Hospital del Santi Spiritu y la portada de la iglesia de San Pedro. De allí, a través de **Arzúa,** se llegaba a Santiago.

El litoral gallego está caracterizado por sus famosas rías. Las rías Altas se abren al Cantábrico mientras que en las rías Bajas penetra el océano Atlántico. En **Vegadio,** provincia de Lugo, se inicia la costa gallega. **Ribadeo** es una vieja ciudad portuaria que desciende bruscamente desde su Plaza Mayor hasta los muelles que van a dar a la ría que lleva su nombre. **Vivero,** al fondo de su ría, posee un hermoso paseo marítimo de fachadas acristaladas y una valiosa iglesia medieval. De allí se alcanza **Estaca de Bares,** ya en la provincia de La Coruña, el extremo más septentrional de la Península Ibérica. **Ortigueira** es un pueblo marinero situado en la desembocadura de la ría de su propio nombre.

En la península que forma el cabo Ortigal se encuentra el santuario de San Andrés de Teixido, asentado sobre un pedestal de acantilados y en el que los días de romería las "santeras", los amuletos y el fervor popular se entremezclan creando un ambiente más propio de la Edad Media que del siglo XX. **Ferrol** es una ciudad moderna e industrial junto a la ría de su propio nombre. **Pontedeume,** asomada a la ría de Betanzos, ha sabido conservar en sus empinadas calles los años medievales, representados por la torre del homenaje del castillo de los Andrade. Se penetra en **Betanzos** a través de una puerta medieval que conserva sus característicos soportales; junto a la Plaza Mayor, más conocida como *"O campo",* se encuentra la iglesia de Santa María de Azogue con sus valiosas esculturas.

Una leyenda recogida en las crónicas medievales afirmaba que Hércules, tras haber dado muerte a Gerión, enterró su cabeza, construyó sobre ella una gran torre y fundó en sus proximidades la ciudad de **La Coruña.** La realidad es que no lejos del casco urbano está la torre de Hércules, de forma prismática, un faro de la época romana que todavía se halla en uso tras la reconstrucción efectuada en 1791.

La villa conserva restos de su muralla defensiva, las puertas del Parrote, del Clavo y de San Miguel y el jardín de San Carlos, encerrado en una fortificación. Entre sus edificios religiosos sobresale la iglesia de Santa María del Campo, comenzada a finales del siglo XII y concluida en 1302. En la marina, frente al puerto, las casas cubiertas de cristalera constituyen una muestra de una arquitectura popular muy característica.

Al sur de La Coruña se inicia la conocida popularmente como "Costa de la Muerte", denominada así por la cantidad de naufragios que allí han tenido lugar y por los riesgos que entraña en esta parte del litoral la recogida de los codiciados percebes. Su belleza es extraordinaria y la agresividad del mar en esta costa sobrecogedora. Desde la soledad del cabo de San Adrián se dominan las islas Sisargas y de camino hacia *Laxe* se encuentra el dolmen de Dombate, una muestra del rico patrimonio prehistórico de Galicia.

Camariñas, al borde de la ría de su propio nombre, se caracteriza por los delicados tonos pastel con que pintan sus habitantes los zócalos de las fachadas. Es un pueblo de artesanos donde las "palilleras" elaboran al aire libre un finísimo encaje de bolillos. *Muxia,* frente a Camariñas, es un pequeño burgo medieval de casas blasonadas. Junto a él y vigilando el horizonte se encuentra la iglesia de Santa María la Barca, a la que invocan los marineros cuando se ven en dificultades. Delante de la iglesia se halla la *piedra dos cadris,* una roca que, según la tradición, tiene virtudes proféticas si se saben interpretar sus movimientos inestables sobre el suelo. El mítico cabo de Finisterre, azotado por los vientos y batido por el mar, se eleva majestuoso y digno tras haber sido durante muchos siglos el confín de la Tierra.

La ría de Muros y Noya es la primera de las rías Bajas. *Muros* conserva su laberíntico trazado medieval y sus calles con soportales, así como una iglesia románica que domina la ciudad; en *Noya,* al otro extremo de la ría, el cementerio de la iglesia románica de Santa María guarda una serie de lápidas sepulcrales marcadas con signos gremiales de los siglos X al XVI, así como un *cruceiro* medieval y un templete del siglo XVI. *Ribeiro* señala la entrada a la ría de Arosa y *Rianxo,* la cuna de Castelar, conserva una iglesia gótica, la de Santa Comba.

Hacia el interior, remontando el Ulla, y en las proximidades de *Padrón,* tan unido a la leyenda de Santiago, se encuentra la casa natal de Rosalía de Castro.

Cruzando un puente medieval que salva el Ulla se entra en la provincia de Pontevedra. En *Catoira* se conservan las ruinas de siete torres de origen prerromano. Tras atravesar la turística *Villagarcía de Arosa* se llega por la margen derecha de la bellísima ría a *Villanueva de Arosa,* donde se encuentra la casa natal de Valle Inclán. *Cambados,* la tierra del vino blanco Albariño, cuenta con un interesante patrimonio monumental en el que destaca el pazo de Ferfiñán, del siglo XVI. La isla de *La Toja,* centro de un turismo selecto, ofrece la elegancia de los balnearios decimonónicos.

Atravesando una de las zonas turísticas más importantes de las rías Bajas con pueblos como *O Grove, Sangenjo* y *Combarro,* se llega a *Pontevedra.* La iglesia de la Peregrina y el convento de San Francisco presiden la plaza principal, de la que sale una intrincada red de calles medievales y pequeños recovecos entre los que sobresale por su tipismo la placita de la Leña. Sus calles flanqueadas por soportales y sus numerosas casas señoriales nos hacen retroceder a tiempos pretéritos. En la margen izquierda de la ría de Vigo se encuentra *Moaña* con su bella iglesia de estilo románico. Frente a ella se alza la industriosa ciudad de *Vigo,* de origen romano, cuyo casco antiguo, con numerosos edificios típicos de la arquitectura gallega, está presidido por la colegiata neoclásica de Santa María.

Bayona, frente a la ría del mismo nombre, es un pueblo de pescadores que ha conservado intacto su casco viejo. Cuenta con el honor de haber sido el primer lugar en conocer la existencia de América, ya que a su pequeña bahía llegó una de las tres carabelas del primer viaje de Colón. La costa gallega se hace a continuación solitaria y dura, golpeada por fuertes vientos hasta llegar a *La Guardia.* El monte de Santa Tecla, sobre el estuario del Miño, avista ya las tierras portuguesas. Río arriba se encuentra la ciudad fronteriza de *Tuy,* antigua población ibérica que posee una catedral de traza románica y soluciones góticas y que presenta un aspecto exterior de fortaleza con sus muros almenados.

De la Galicia interior hay que destacar la ciudad de *Lugo,* bañada por el Miño, que conserva restos de sus termas romanas y la mayor parte de su recinto amurallado, de más de dos kilómetros de perímetro, con cuatro puertas flanqueadas por torres. Su catedral, comenzada en el siglo XII, se asemeja a la de Santiago. En su exterior destaca su Torre Vieja, de planta cuadrada, que data del siglo XV. Al sur de la provincia se encuentra *Monforte de Lemos,* con partes de una muralla y un castillo medievales. Su edificio más importante es el Colegio del Cardenal, inspirado en El Escorial. La ciudad de *Orense,* que se conoce desde tiempos romanos, posee una catedral románica con aportaciones góticas en la que destaca su magnífico cimborrio de estilo isabelino. Sus portadas norte y sur, románicas, presentan una decoración escultórica inspirada en la catedral de Santiago. El puente sobre el río Miño, del siglo XIII, es otra de sus principales riquezas monumentales.

EL PRINCIPADO DE ASTURIAS

Es en esta provincia española donde la Cordillera Cantábrica presenta su máximo esplendor, en particular en los macizos Central y Occidental de los Picos de Europa. A estas peñas y rocas asturianas quedó para siempre unido, desde el siglo VIII, el nombre de Don Pelayo, español de recia estirpe visigótica que con un puñado de hombres refugiados en los montes de Auseva, causó una importante derrota al ejército moro capitaneado por Alkama. En los alrededores de la cueva de Covadonga, y favorecidas por sus posiciones, que dominaban el angosto valle del río Auseva, las tropas cristianas a cuyo frente iba el fundador de la monaquía asturiana aniquilaron a los hombres del Islam. El fervor popular atribuyó el éxito de esta desigual batalla a la presencia de una imagen de la Virgen que el caudillo Don Pelayo había llevado a la cueva de Covadonga. Hoy, una basílica se encuentra junto a la cueva de la "santina", lugar de peregrinación del pueblo asturiano.

El lugar y sus alrededores han sido declarados Parque Nacional con el nombre de Montaña de Covadonga, pionero de los parques nacionales españoles, que con 16.925 hectáreas fue creado en el año 1918. En el espectacular paisaje de estas hectáreas protegidas, donde los hayedos y los castaños se entremezclan con riscos poblados de rebecos, destaca el área ocupada por los Lagos Enol y Ercina, uno de los enclaves más espectaculares de la zona protegida.

El folklore asturiano hace acto de presencia en las romerías y verbenas con la música de la gaita. La arquitectura popular ofrece su máximo exponente en los hórreos, graneros de planta cuadrada, sostenidos en el aire por pilares, con orificios destinados a la ventilación y construidos con objeto de conservar la cosecha.

De sus fiestas, las más populares son las del 8 de septiembre, festividad de Nuestra Señora de Covadonga y el Descenso del Sella, una competición internacional de piraguas desde **Arriondas** a **Ribadesella** que concentra a millares de personas cada año. En **Cudillero,** en la festividad de San Pedro, se celebra "la Amuravela", en la que en lenguaje "pixueto", propio del lugar, se relata crónicamente todo lo acontecido durante el año. El 27 de septiembre tiene lugar en **Mieres** la romería de los Santos Mártires de Valcecuna, considerada la más antigua de la región.

En la gastronomía asturiana destaca con luz propia la conocida "fabada", que consiste en unas alubias que aquí llaman *fabes,* particularmente grandes y blandas, junto con diversos productos del cerdo: codillo de jamón, tocino, manos y oreja, longaniza y morcilla. Es tal su riqueza alimentaria que se toma como plato único. Son también deliciosas las fabes con almejas, con liebre o con perdiz. Las poblaciones costeras preparan una caldereta confeccionada a base de combinar mariscos y pescados de carne dura. La merluza a la sidra es también muy apreciada. La sidra hecha de manzana, ligera y ácida, es la bebida más popular de la región y servirla constituye todo un rito: se escancia levantando la botella y dejando caer lentamente un chorrito desde lo alto al vaso, sin derramar nada.

El salmón fresco, recién sacado de los ríos asturianos, es un plato obligado. Se prepara poniendo el salmón a remojo en leche, sal y limón antes de llevarlo a la parrilla. Entre los postres, el arroz con leche es el más solicitado junto con el tocinillo de cielo. Sus quesos son los más fuertes de España, destacando el famoso "cabrales". El *quesu de afuega,* "el pitu" es una de las mejores variedades del queso fresco.

Oviedo es la capital del Principado. Sus orígenes están ligados al núcleo de población creado en torno al cenobio de San Vicente por los monjes Máximo y Fromestano a mediados del siglo VIII. Su catedral destaca entre lo mejor del gótico tardío en España; construida en los siglos XV y XVI, consta de tres naves con crucero y girola y en su exterior sobresale la espléndida torre gótica de la fachada principal. En su interior se halla la cripta prerrománica de Santa Leocadia y la románica Cámara Santa, que albergan los tesoros procedentes de los tiempos fundacionales del reino de los astures. Próximo a la catedral se conserva el centro histórico con el palacio Arzobispal, el monasterio de San Pelayo, el Ayuntamiento y una serie de casas-palacio. La iglesia de San Tirso y la de San Julián de los Prados son dos de las edificaciones más antiguas de Oviedo.

A las puertas de la capital de Asturias se alza el Monte Naranco, en cuyas faldas se encuentran dos de los monumentos más significativos del Principado: la iglesia de Santa María del Naranco y de San Miguel de Lillo, que junto con la de Santa Cristina de Lena constituyen lo más selecto del prerrománico asturiano. Su conjunto ha sido declarado por la UNESCO Patrimonio de la Humanidad. La iglesia de Santa María del Naranco es un antiguo pabellón de caza real construido en dos niveles comunicados entre sí por una escalera exterior, que posteriormente fue consagrado como iglesia. San Miguel de Lillo posee tres naves –la central, más ancha y alta que las laterales– en las que destaca la decoración de sus elementos arquitectónicos. Santa Cristina de

Lena, posterior a las otras dos construcciones y situada 37 kilómetros al sur de Oviedo, tiene un porche y una sola nave abovedada. Esta pequeña iglesia representa la última fase de la incomparable y original arquitectura asturiana.

En el interior de la provincia, **Cangas de Onís** es paso obligado para acceder a la cueva de Covadonga. Cangas fue la primera sede del reino astur y en ella destacan el puente romano sobre el río Sella y la capilla de Santa Cruz, hoy restaurada y construida sobre un dolmen. Desde el punto de vista paisajístico hay que acercarse a **Arenas de Cabrales** y remontar a pie la colosal garganta del río Cares, uno de los monumentos naturales más espectaculares de Asturias.

La costa asturiana se inicia en la ría de Tina Mayor. **Llanes** es una vieja villa señorial de Asturias con sus palacios y casonas renacentistas y su iglesia gótica de Santa María. **Ribadesella** combina la belleza de sus playas con un bonito casco urbano y en sus proximidades se localiza la cueva de Tito Bustillo, uno de los más importantes yacimientos prehistóricos del norte de España. **Villaviciosa,** situada en las proximidades de la ría que lleva su nombre, es una ciudad histórica. De la Edad Media permanecen en pie dos iglesias, la de Santa María, situada en el casco urbano, y la de San Juan de Amandi, a dos kilómetros de la misma. A diez kilómetros de Villaviciosa se encuentra la iglesia de San Salvador de Valdediós, del siglo IX, conocida como "el conventín". En su interior se conservan algunos restos de pinturas murales. La Cruz de la Victoria, sobre las pequeñas ventanas gemelas de la fachada principal, llegaría a ser la imagen simbólica del reino astur.

Gijón, con su puerto y sus playas, es una de las ciudades más importantes de Asturias. La colegiata de San Juan y el palacio de Revillagigedo, ambos del siglo XVIII, son sus monumentos más característicos. El cabo de Peñas con sus impresionantes estratos inclinados que se pierden en el mar Cantábrico constituye el punto más avanzado de la costa asturiana. **Avilés** es hoy un importante centro industrial. **Cudillero** es un viejo puerto de pescadores, lo mismo que **Luarca.** En **Castropol,** población encaramada en un pequeño altozano sobre la ría de Ribadeo, se termina el litoral asturiano.

CANTABRIA

Los cántabros constituían un pueblo prerromano asentado en el norte de España que nunca se sintió vencido por las legiones romanas. Su territorio, la actual Cantabria, conocido también como "la Montaña", estuvo ya habitado desde el Paleolítico como nos lo indican las abundantes cuevas encontradas en la región con numerosos restos arqueológicos, entre las que sobresalen con luz propia las famosas cuevas de Altamira. El paisaje de Cantabria es singular. Montaña y costa se combinan en un armonioso conjunto que hace de ella una de las regiones más espectaculares desde el punto de vista paisajístico.

El folklore cántabro es de una riqueza extraordinaria y uno de los más originales de la Península por la variedad de sus romances y canciones, como *El Romance del Conde de Lara* o las canciones *A lo alto* y *A lo llano*. La *baila de Ibio* es una danza guerrera milenaria única en el folklore español. Los bailes de las *maizas* y los *picayos* de San Vicente de la Barquera, que se ejecutan el domingo siguiente de Pascua en honor de la Virgen, hunden sus raíces en tiempos muy remotos. Durante el mes de agosto se celebra en **Cabezón de la Sal** el "día de la Montaña" y en **Laredo** tiene lugar cada año su célebre batalla de flores.

La arquitectura popular alcanza su máxima expresión en la casa montañesa, la típica "casona", caracterizada por las hermosas solanas y las suntuosas balaustradas de madera torneada. Su artesanía se centra en los trabajos de madera tallada o torneada y en la cestería, cuya representación más genuina la constituyen los cuévanos pasiegos en los que las mujeres transportaban a sus hijos de corta edad mientras trabajaban.

En Cantabria son muy populares desde el punto de vista gastronómico el bonito, la merluza y el besugo. Es muy original el denominado arroz santanderino, un guisado hecho con salmón y leche. Son muy típicas también las "rabas", calamares fritos servidos en trozos. Pero la cocina montañesa destaca por su respostería con sus exquisitas natillas confeccionadas con leche y huevos, los "sobaos" pasiegos, bollos realizados a base de mantequilla y huevo, y la "quesada", elaborada con queso fresco, miel y mantequilla.

Santander, la capital de Cantabria, se encuentra enclavada en una de las más bellas bahías de España. La ciudad fue prácticamente destruida por un dramático incendio en 1941 y es ahora una ciudad moderna. La catedral gótica es su monumento más

LA AVENIDA

de La Marina es, con la ve-
tusta Torre de Hércules, la
estampa viva y el símbolo
más decidido de la capital
coruñesa. Arqueada contra
el sur, la miríada de cristales
de sus inmaculadas galerías
recibe y devuelve toda la luz
del día, multiplicada de bri-
llos y refulgencias. Ciudad
que es marinera, lo es también de arribadas, de salu-
dos y de adioses. En cada
cuadrícula de cristal ilumi-
nado se adivina un rostro
constreñido de mujer, un
pañuelo que despide o el bullicio de un retorno. Este pal-
co blanco de la vieja Coruña
lo fue también para regias
despedidas; la de Carlos V,
cuando parte para recibir su
corona del Imperio, y la de su
hijo Felipe II, cuando, con
más ilusión que suerte, em-
barca para Inglaterra a des-
posar a la hija de Enrique
VIII, la triste e infausta María
Tudor.

En la página anterior, un aspecto del aprovechamiento
económico del mar por parte del habitante del litoral
gallego: el cultivo del mejillón.

14

EN PONTEVEDRA

su ría apenas se insinúa. Des-
pués, las tierras se abren, y
una uve grande comienza a
ser reino de someras maris-
mas. Avanzando más hacia
su puerta marina, en la mar-
gen derecha, reposa, calán-
dole el mar hasta sus hórreos
y casas, la apretada pobla-
ción de Combarro, de lumi-
nosa y difusa melancolía;
una mezcla extraña de nie-
bla y de color en esta Galicia
pontevedresa que aún recibe
el brillo dulzón y festivo de las
tierras del mediodía.

16

En santiago de compostela

*todo parece, más que hecho, nacido de un amor noble y perdurable.
Venerables piedras y sonoras campanas esparcen la música del bronce
y el tacto de la noble cantería desde el acero gris de sus calles mojadas
hasta los aires altos de palomas y veletas. Santiago, desde comienzos
del siglo IX, durante el reinado de Alfonso II el Casto, cuando Carlomagno es coronado en Roma, se transforma en la segunda meta de
todos los caminos de la cristiandad. Y tras la batalla de Clavijo, en la
que Ramiro II recibe la milagrosa ayuda del Apóstol, el sepulcro del
Barquero Patrón de España centra con Roma el peregrinaje religioso
de todo el mundo occidental.*

almacén tan arcaico como actual de toda casa gallega. Éste está situado en las
afueras de Villagarcía de Arosa.

E<small>L PÓRTICO DE LA GLORIA</small>,

que enmarca la entrada principal de la catedral compostelana, es considerado como
la más acabada obra de toda la escultura medieval. Tal como reza la inscripción
sobre la misma piedra monumental, el famoso pórtico data de 1188 y su autoría
recae sobre el maestro Mateo, "O santo dos croques" para los compostelanos.

AGUILLÓN,

perteneciente al concejo de Taramundi, en el extremo occidental del Principado de Asturias, es famoso por su mazo de espalmar hierro –el Mazo de Aguillón, como reza en las guías turísticas–. Tanto éste como otros mazos existentes en las parroquias y aldeas de Taramundi, de tamaño colosal y movidos por la fuerza del agua conducida a través del canal de un molino, tenían como misión básica la forja y preparación del hierro para ciertos usos, muy especialmente la preparación de esos magníficos aceros templados que dan lugar a su artesanía cuchillera. Esta vivienda campesina de Aguillón, donde la piedra y la pizarra son materiales básicos, como en toda la arquitectura de la zona, conserva, en sus bajos junto al río, el mencionado mazo.

L<small>A ERMITA DE SANTA CRISTINA,</small>

construcción ramirense del siglo IX, centra y culmina la importancia de Pola de Lena. Porque esta pequeña ermita, erigida en el extremo cortado de un lomo de alta pradería, emula en belleza a las grandes joyas arquitectónicas del Naranco. A la derecha, y rodeada de bosques de castaño, robles y hayas, con los infinitos cortados por las crestas de las montañas y las nieblas mañaneras, la basílica de Covadonga. Sancta sanctorum de la patrona y del alma religiosa del Principado de Asturias, es, a su vez, ese podio que materializa y concreta aquel comienzo de la Reconquista de Don Pelayo.

DELGADO, TRANQUILO, *canalizado, el mar introduce su lengua salada hasta el mismo corazón urbano de Llanes. No es el puerto clásico donde todo gira alrededor del agua y de sus barcos. La gran villa costera ha orientado sus aguas hacia el baño y el turismo más que a sus barcos hasta los bancos de peces. Y en el flujo y reflujo de las mareas, las embarcaciones que atracan en esta ría ciudadana, suben y bajan, flotan bailarinas sobre el verdigris manto líquido, o se quedan varadas sobre la arena con ese escorado gracioso y temporal. Entre ellas, las gaviotas buscan restos orgánicos, o se posan en farolas y norays, o sobre redes amontonadas, cada vez más inútiles y envejecidas.*

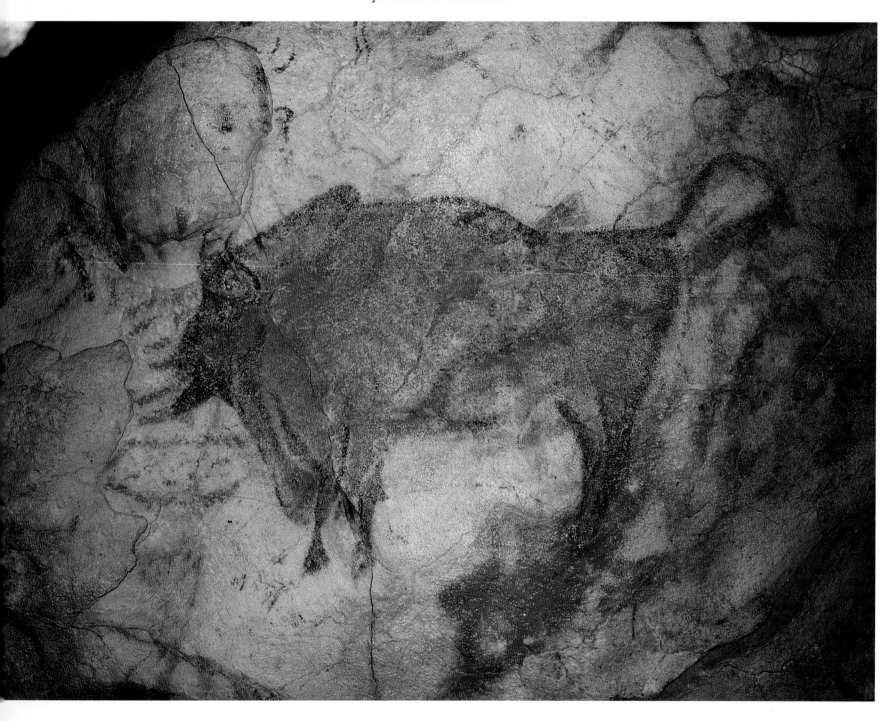

28

Cuando la ancha
y larga avenida de la Reina
Victoria, en la ciudad de San-
tander, alcanza el final de
Carrero Blanco, queda alta y
volcada hacia la bahía. Som-
breados jardines y aisladas
fincas, montadas sobre la
vertical ladera, se asoman a
ese racimo de playas de gene-
rosa toponimia. Justamente
abajo comienza la playa de
los Peligros ¿De cuáles?: cada
santanderino tiene su versión
propia. La sigue sin ningún
hito que se atreva a demar-
carla, la playa del Promonto-
rio, y continúa la extensa de
la Magdalena, con el Palacio
Real al fondo, y a su pie,
frente a la isla de la Torre,
la playa de Bikini, de nom-
bre nacido, sin duda, muy
postreramente.

30

Así también

es la *Asturias rural, la que deja caseríos aislados o mínimas aldeas en los valles del sur de la cordillera Cantábrica, o la que asoma sus limpios cabezos hacia la cara del mar. Y allí, próximo a los establos y el caserío, entre los almiares que aseguran la rumia invernal, la que es madre y ama de casa, y también quizás vaquera, y seguro trabajadora de sol a sol, tiende su colada al oreo de las brisas que suben de los cantiles y se arrastran por el pastizal.*

SANTILLANA DEL MAR,

en la antigua "Castilla de las Asturias", una de aquellas primitivas demarcaciones por donde corrían los poderes castellanos y los avatares de la Reconquista, ha conseguido el milagro de mantener su villa medieval intacta como posteriormente lo hiciera con su cuna paleolítica de Altamira. Aquí, en el centro de Santillana, la plaza de Ramón Pelayo, con su Ayuntamiento de espaciosos soportales; la torre de Don Borja, justamente ceñida a la arquitectura típica de la comarca y sede de la Fundación Santillana; la casa del Águila y la Parra; la torre del Merino; la casa de los Barreda... cercando con sus piedras ocráceas un despejado solar de grijos lustrados por el paso del tiempo.

¡Bella la costa de Cantabria!

¡Grandioso y libre ese litoral que circunda la capital montañesa! Ése que deja su lúbrico beso salobre en la base de los riscos y extiende su manto azulina entre los cabos; ése que alcanza las arenas de sus playas y se pliega como blando juguete al vaivén de las mareas; ése que deja su cerco blanco de baba efervescente sobre los arrecifes de las orillas; ése mismo que brama en los inviernos y enloquece con los huracanes, galopando sobre las negras aguas como una manada de caballos blancos; o ése que, en los veranos, bonancible y patriarcal, se llena de luz y colores humanos.

LAREDO ES OTRA DE LAS MUCHAS PLAYAS
que van siguiendo hacia Santoña el caprichoso litoral cántabro. Pero en las postrimerías del verano, cuando todavía septiembre calienta, esta localidad celebra un original derby en las arenas de bajamar. Corceles clasificados en distintas categorías compiten al borde de las aguas.

Allá en los bajos, hundida y profunda, la playa de Mataleñas reposa en la vertical de la línea de asfalto que asciende hacia Cabo Mayor y los dos campings santanderinos. El mar mete su lengua entre los escarpes y va a morir, en menudos trenes de olas, sobre la fina arena. El único acceso a la escondida playa es la escalera que culebrea por la alta vertiente, y que en los veranos es una delgada procesión de colores humanos. Montado tras ella, la pelusa verde de los greens de golf de Mataleñas corta los brumosos horizontes.

E_N EUSKERA

no existe la palabra otoño, y
se le designa como "verano
último". Parece que esto era
generalizado en la Europa
septentrional, y que ese trán-
sito otoñal adquiere entidad
propia con los albores de ven-
dimia en los pueblos vitiviní-
colas. En las montañas vas-
cuences, tan marginadas de
la vid y tan ricas en siempre
vestidas coníferas, el otoño
llega imperceptiblemente. Los
montes se hacen más brumo-
sos, en los valles se recuestan
más las nieblas, rebotan al-
gunos truenos como si todos
los campos fueran una cam-
pana vieja... Pero todo es ca-
si lo mismo sobre estos mon-
tes verdes de soles tibios que
esconden caseríos blancos.

40

AUNQUE SUS ORÍGENES *se pierden en lejanos pretéritos, la fundación de la villa de Motrico data del siglo XIII, por decisión y orden de Alfonso VIII de Castilla. Eran los tiempos en que la Castilla continental y meseteña, se asomaba al mar y buscaba su expansión costera. Sus numerosos palacios y casas señoriales conservan el recuerdo de nobles pasados marineros, como la casa natal de Churruca, de atrevidos y labrados tejaroces, en la zona alta de la población.*

A POCOS KILÓMETROS
de Haro, la gran metró-
poli del vino riojano, se
entra en Labastida, tie-
rra alavesa, también de
valiosos viñedos y enri-
quecida por ese monu-
mento del barroco que
es la mayor parte de la
población. Primitiva-
mente amurallada, su
nombre alude al gené-
rico de bastida o forta-
leza de piedra.

A la derecha, la iglesia
de Santa María de los
Reyes, en la ciudad de
La Guardia, a la que
pertenece este pórtico
cubierto, bellísima joya
del arte gótico.

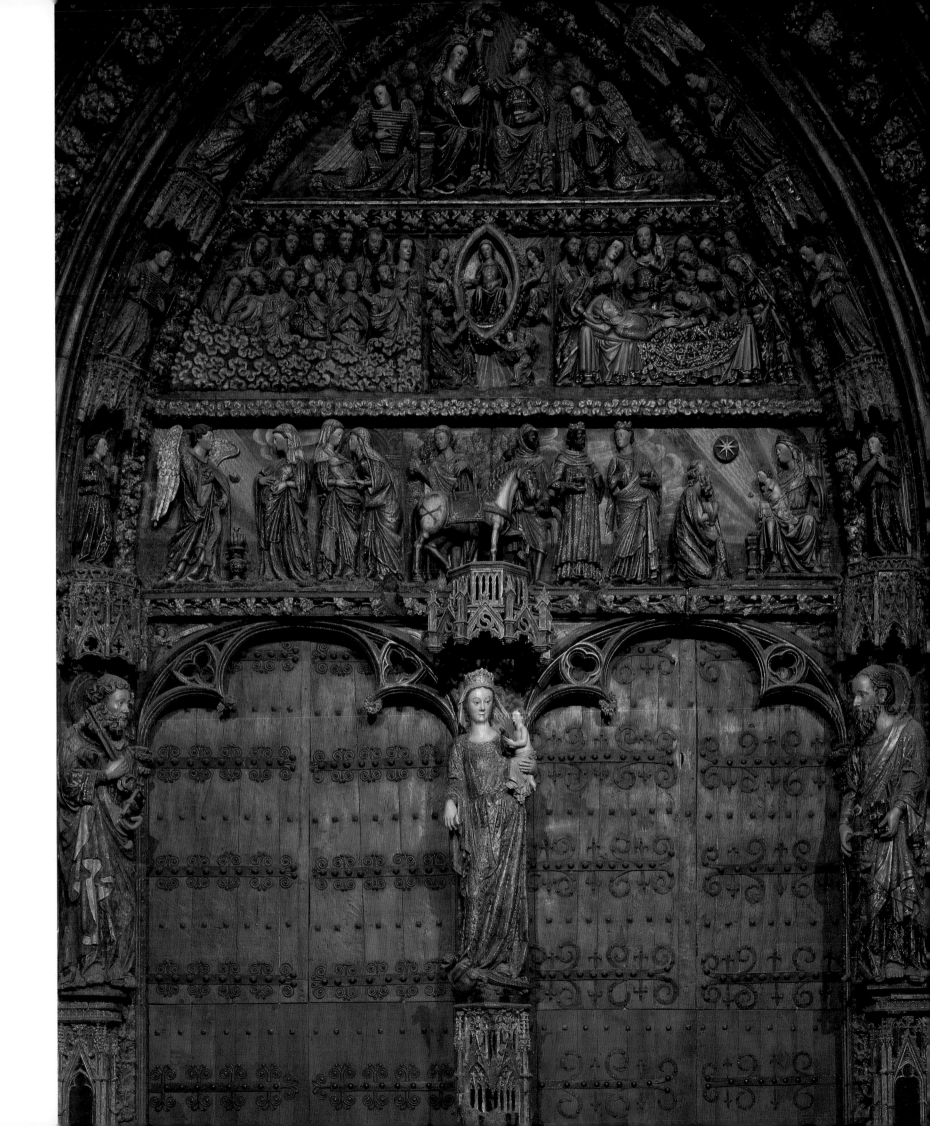

CUANDO LOS MONTES
no se desploman al mar y descienden algo suavemente hasta la costa o a mitad de su descenso –para después caer con suaves taludes o bruscos escarpes– se arrellanan aplanando la ladera, aquellas estructuras interiores, de caseríos rodeados de sus huertas y campos de labranza como éste que aparece en la fotografía, próximo a Elanchove, se repiten de nuevo en estos bancales inundados por la frescura salina del litoral.

Este marinero de Bermeo ceba su palangre de altura. Los anzuelos, empatados en fuertes líneas de nilón, llevan los plateados señuelos de las sardinas. Y será después, la codiciada "merluza de pincho", la víctima deliciosa que confundirá su manjar en las confusas profundidades.
A la derecha, un campesino cargando heno para su ganado.

LA UNIVERSIDAD ES EL MONUMENTO

por excelencia de Oñate, esa villa guipuzcoana enclavada en tan amplio municipio que abarca todo el valle de Aránzazu; esa ciudad artística y sensible que Zuloaga llamó la "Toledo vasca". Su bello edificio cultural, erigido por Rodrigo Mercado de Zuazola en 1548, es una de las mejores muestras en toda España de la arquitectura civil de la época. De estilo renacentista, la piedra, hoy en tonos crudos y tostados, expresa la armonía y el equilibrio de una acabada obra de arte, en la que destacan su admirable portada y las cuatro enormes pilastras, adornadas con figuras alegóricas que encuadran el porche. En sus aulas se ha enseñado Derecho Civil, Medicina, Filosofía, Letras y Notariado. Hoy, esta bella catedral del saber y del estudio desarrolla otras actividades bajo la dependencia del gobierno autónomo vasco.

DENTRO DEL AMPLIO
*espectro de la agricultura
navarra, riquísima en todo
el valle del Ebro, el espárra-
go es quizás uno de los cultivos más genuinamente navarros. La preparación de
un campo de espárragos es
el conjunto de largas y pro-
lijas faenas agrarias que
justifican plenamente los
precios comerciales del producto final: ese brote arran-
cado a la tierra antes de nacer, blanco y tierno, que no
llegó siquiera a conocer la
luz ni el aire del cielo.*

EZCÁROZ,
*en la provincia de Navarra,
es otro pueblo más en esas
pautas humanas que siguen
el curso del río Salazar y de
su mismo valle. Situado en
su margen izquierda, Ezcároz esconde su extensa plaza Mayor, el fino retículo de
calles adyacentes y la misma iglesia de San Román,
edificada en gótico tardío
del XVI, al paso del río y de
la misma carretera que sube
hacia Ochagavía.*

CON EXPRESIÓN TÓPICA
se dice que los Sanfermines
no se pueden describir, hay
que vivirlos. Si espectacula-
res y coloristas son los encie-
rros matinales, no le van a
la zaga las corridas de toros
vespertinas. Los graderíos
son una fiesta en la que no
falta la suculenta merienda.

CUENTA LA TRADICIÓN QUE FERMÍN, PATRICIO DE LA PAMPLONA

romana y convertido al cristianismo por San Saturnino, fue el primer obispo de la capital navarra. Hoy, la veneración al santo de la tez morena eclosiona cada año con las fiestas en su honor, las más recias y cosmopolitas de España.

EN LA VILLA DE LANZ, ENTRE LOS VALLES DE ULZAMA Y ANUÉ,
*se han conservado hasta nuestros días las fiestas de carnaval de mayor interés
folklórico y cultural de Navarra. De ancestrales orígenes, su importancia fue
creciendo hasta hoy, que es reputado internacionalmente.*

La FARSA CARNAVALESCA, DE DIFÍCIL Y PLURAL INTERPRETACIÓN, *se desarrolla entre el domingo de Carnaval y el martes de Carnestolendas, víspera del miércoles de Ceniza, y tiene como protagonistas básicos a personajes tan interesantes de concretas simbologías, como son Ziripot, Miel-Otxin, el Zaldiko y los herreros de Arotzanea.*

Resulta en alto grado *sorprendente que los vinos del interior de la Península no sean conocidos hasta épocas muy recientes. Es más, los vinos españoles estaban considerados como ásperos y de alta graduación, y sólo se empleaban para mejorar los europeos. Difícil imaginar la realidad actual en la que los vinos del interior, y básicamente los excelentes caldos riojanos, duermen en barricas de roble, a la paz y el oscuro silencio de las viejas bodegas subterráneas, para después de algunos o muchos años las esencias añejas acaben elaborando esa gran reserva de color rojo atejado que con el típico bouquet de Rioja satisface en cualquier rincón del mundo a los más exquisitos y refinados paladares.*

LAS FIESTAS *de la vendimia de Logroño, coincidentes con las de San Mateo, tienen lugar a comienzos del otoño, en estrecha proximidad con la recolección de las primeras uvas. Los multitudinarios festejos unen al ritual de tradiciones y actos protocolarios un amplio espectro de espectáculos y lúdicas manifestaciones. Entre los numerosos invitados de otras regiones y países, aparecen incluso grupos folklóricos extranjeros.*

EL FESTIVAL gastronómico que en Logroño acompaña a las fiestas de San Mateo, reúne a los más expertos cocineros de La Rioja, donde ya la cocina y la bodega son casi una religión. Serán las exquisitas chuletas del buen cordero de la región, asadas a las brasas de los sarmientos de las vides; las deliciosas patatas a la riojana, con pimientos del piquillo, carne y chorizo de la sierra de la Demanda... ayudado todo por alguno de los incuestionables vinos de esta Rioja, que tiene en su haber la crianza de uno de los mejores jugos de la Tierra.

L os días se acortan.
La oscuridad se extiende an-
tes sobre los pueblos y las tie-
rras, y las mañanas parecen
como si, cansadas, les costase
trabajo volver a nacer. Los
cielos palidecen y hasta en
días soleados se extienden so-
bre el cielo tímidas luces rosas
y malvas. Aparecen los vien-
tos y las nubes se acumulan y
ennegrecen, mostrando esa
faz dura que preludia el frío
y la lluvia. Así se cierne el
otoño sobre estas tierras
continentales de La Rioja.

La fama de Anguiano, tan justamente merecida desde mucho tiempo atrás, es básicamente debido a las originales danzas sobre zancos de madera que ejecutan sus "danzadores" en honor a la patrona, Santa Magdalena. Estas danzas tienen lugar el día 22 de julio y el último fin de semana del mes de septiembre. El sábado o Día de Acción de Gracias, Santa Magdalena es trasladada a su ermita del siglo XVIII.

68

DE TRES NAVES, GIROLA Y CLAUSTRO,
*la catedral de Calahorra presenta un predominio arquitectónico del
gótico de finales del siglo XV, pero que, como es tan general en los templos
hispanos, tampoco la Seo calagurritana se libra de esos posteriores
enquistamientos de la evolución artística, apareciendo elementos y de-
coraciones renacentistas, barrocas y neoclásicas. En la foto, la portada
del lateral de Poniente o de San Jerónimo de la catedral calahorrana.
En la imagen de la página siguiente aparece, fantástica y deslumbrante,
la sacristía del monasterio de Yuso, en San Millán de la Cogolla, pintada
al fresco y con cuadros de Ricci, de la escuela heredera de Velázquez;
que es, después de la de El Escorial, una de las más bellas sacristías de
los templos españoles.*

importante Iniciada en el siglo XIII, sufrió posteriormente sucesivas ampliaciones y reformas. El palacio de la Magdalena, actual sede de la Universidad de Menéndez Pelayo, que se yergue sobre una península del mismo nombre, es algo inherente al paisaje de la capital de Cantabria. El Sardinero, con sus excelentes playas y su casino, es el centro de la vida durante el verano santanderino.

En el litoral cantábrico se encuentra **Castro-Urdiales,** la antigua *Flaviobrigida* romana. Conserva vestigios de su pasado medieval como las ruinas del castillo de Santa Ana de los Templarios y la iglesia gótica de Santa María. La antigua villa marítima de **Laredo,** con su larguísima playa, ha conservado sus barrios antiguos y una bellísima iglesia gótica. **Santoña** es una población de origen celta, enclavada frente a una hermosa bahía, en la que se encuentra la iglesia de Sana María, comenzada a construir en el siglo XII, con un excelente retablo del siglo XV.

A 29 kilómetros de Santander se localiza **Santillana del Mar,** uno de los conjuntos urbanos antiguos, medieval y renacentista, más notables de España. Las fachadas de sus palacios y mansiones están cubiertos de escudos y blasones en piedra, y en ellas puede seguirse la evolución de la arquitectura civil de los siglos XIII al XVIII. Hay que mencionar las casas solariegas de los Pereda, de los Estrada, de los Table, la torre del Merino, el parador de Gil Blas y el torreón de los Velarde. La colegiata, uno de los mejores ejemplos de nuestro románico, tuvo su origen en un monasterio existente ya en el año 870. La actual colegiata, de tres naves y claustro, fue construida a finales del siglo XII.

A poca distancia de Santillana del Mar se encuentran las cuevas de Altamira, declaradas Patrimonio de la Humanidad. Fueron descubiertas en el año 1867 y constituyen un testimonio excepcional sobre las civilizaciones magdalenienses de la Europa meridional. La caverna, horadada en una meseta caliza, está formada por una serie de salas y pasillos. En su interior se encuentra la Gran Sala con unas dimensiones de 18 por 9 metros. En su bóveda se realizaron soberbias pinturas policromadas, únicas en su género, de bisontes, caballos, cérvidos y jabalíes. Su importancia es tan grande que universalmente se la conoce como "la Capilla Sixtina del arte paleolítico".

Siguiendo el litoral aparece **Comillas,** con el palacio del marqués de Comillas y la enorme mole de la universidad Pontificia, piezas muy importantes de nuestro arte de principios de siglo. Junto al palacio se alzan una iglesia neogótica y el pequeño "Capricho", una casa construida por Antonio Gaudí para una hija del primer marqués. **San Vicente de la Barquera,** es una típica población marinera que vigila la entrada de una profunda ría. Sobre un promontorio se eleva la iglesia de Nuestra Señora de los Ángeles, de estilo gótico.

El interior de la provincia es de una gran espectacularidad. Los valles de Guriezo, de Soba y del Pas, en la parte oriental de Cantabria, destacan por la belleza de sus paisajes y el sabor de sus pueblos montañeses. Al sur se localiza el enorme pantano del Ebro, junto a la industrial ciudad de **Reinosa.** El valle de Cabuérniga, la ruta de los Foramontanos, corre a lo largo del río Saja en una de las zonas forestales más importantes de la región y en donde pueblos como **Bárcena Mayor** constituyen ejemplos sobresalientes de la arquitectura popular.

Por último, la región occidental de Cantabria está ocupada por el macizo Oriental de los Picos de Europa. A través del desfiladero de la Hermida, impresionante en su agreste naturaleza, por el que transcurre el río Deva, se llega a la región de La Liébana. En **Santa María de Lebeña** se localiza una rara y bonita construcción mozárabe fechada en la primera mitad del siglo X. Más adelante se encuentra **Potes,** cabeza de la comarca, con su torre del Infantado, en la que vivió el marqués de Santillana. Desde Potes se asciende hasta el monasterio de Santo Toribio de Liébana en el que se venera un *lignum crucis.* Otra carretera conduce a **Fuente Dé,** donde un teleférico transporta al viajero hasta el Mirador del Cable, en plenos Picos de Europa, desde el que se contempla un panorama de una belleza inigualable.

EL PAÍS VASCO

El País Vasco o Euskadi ocupa el sector oriental de la Cordillera Cantábrica y está dividido en tres provincias: Álava, Guipúzcoa y Vizcaya. El pueblo vasco ha conservado una cultura y un folklore ancestrales cuya joya más valiosa es su lengua, el vascuence o *euskera* cuyos orígenes se pierden en el pasado. El País Vasco ofrece una amplísima variedad de danzas, algunas de gran primitivismo, que por lo general se realizan al son del chistu *(txistu)* y de un tamboril.

Existen deportes creados por el pueblo vasco, siendo el más popular la pelota vasca en sus diversas modalidades. El levantamiento de piedra, el corte de troncos, el arrastre de pesadas piedras por parejas de bueyes, el lanzamiento de barra, el *sokatira...* están fuertemente unidos a la tradición de estas tierras, lo mismo que sucede con sus populares regatas de traineras.

El folklore vasco es uno de los más ricos de España. El día de Nochebuena, en **Labastida** (Álava), durante la Misa del Gallo intervienen doce pastores con el "abuelo", que lleva un cordero en brazos, la "zagala", con el Niño Jesús, y el "cachimono", que dirige la danza. La víspera y la fiesta de San Sebastián, el 20 de Enero, se celebra en la capital de Guipúzcoa la popular "tamborrada", en la que participan numerosas "peñas". Por San Blas, el 3 de febrero, en **Idiazábal** (Guipúzcoa), población famosa por sus quesos, se interpretan danzas populares. El 29 de junio, festividad de San Pedro, patrono de los pescadores, tiene lugar en **Lequeitio** (Vizcaya) la singular danza de la *kaxarranca* que se interpreta sobre un arcón llevado a hombros por ocho mozos en recuerdo del traspaso de poderes entre los mayodormos de la Cofradía de Mareantes.

Vitoria celebra sus fiestas patronales en torno a la Virgen Blanca. Comienzan el día 4 con el "chupinazo" y la "bajada del Celedón", una representación típica del aldeano alavés, contemplada por millares de personas y las cuadrillas de "blusas". San Sebastián celebra sus fiestas en torno al 15 de agosto con su Semana Grande, con sus regatas, fuegos artificiales y diferentes manifestaciones populares. Los cofrades del Señor Sant Roque de **Llodio** (Álava) conmemoran el día 16 de agosto con una comida en la ermita del Santo a la que sigue el baile del *aurresku.* El último lunes de octubre se celebra en **Guernica** (Vizcaya) una feria de gran interés en la que predominan los productos artesanos y las labores de la tierra. Al mismo tiempo se hacen exhibiciones de deporte rural y partidos de pelota vasca.

En el País Vasco se come bien en todas partes. Últimamente la Nueva Cocina Vasca ha adquirido fama internacional que la reafirma en el primer puesto del *ranking* gastronómico nacional. Las primeras y más antiguas sociedades gastronómicas de España están enclavadas en esta zona. Entre los platos típicos hay que señalar el bacalao a la vizcaína formado sencillamente por el pez, pimientos secos y cebolla, y el bacalao al pil-pil que es bacalao frito con ajo y aceite muy suavemente para que la gelatina que suelta el pez forme una emulsión de sabor exquisito. La salsa verde que acompaña a la merluza y la salsa negra que baña los chipirones son también propias de la región. Las *kokotxas,* pequeños filetes de agallas de merluza, y las deliciosas angulas enriquecen esta cocina. El popular *marmitako,* de amplia tradición marinera, un guiso de bonito y patata, y las sardinas asadas completan los platos típicos de pescado.

Las carnes son también excepcionales. Son famosos los chuletones de Bérriz y entre los postres el fuerte queso de Idiazábal y los típicos bizcochos rellenos de Vergara son sus platos más populares. El chacolí es el vino que da la zona además de los excelentes caldos de tinto que proporciona la Rioja alavesa.

La actual capital de Euskadi es **Vitoria** o **Gasteiz**. Su origen fue la aldea de Gasteiz sobre la que Sancho el Sabio de Navarra fundó en 1181 la villa de Vitoria, concediéndole su primer fuero. La catedral Vieja o de Santa María, de estilo gótico, data de los siglos XIV y XV. Tiene planta de cruz latina con tres naves, girola y un hermoso triforio que corre a lo largo de las naves altas. La parroquia de San Miguel, de estilo gótico tardío, alberga en su pórtico la bella imagen de la Virgen Blanca, patrona de la ciudad. Entre sus edificios civiles góticos destacan el Portalón, una construcción de madera y ladrillo, antigua casa de comercio, y la casa del Cordón, edificada a finales del siglo XV y que se construyó en torno a una torre gótica conservada en su interior.

Al sur de la provincia, en la Rioja Alavesa se encuentra **Labastida,** villa fronteriza entre Castilla y Navarra durante el medievo que conserva el edificio barroco del Ayuntamiento y un grandioso templo parroquial de principios del siglo XVII. **Laguardia** es una villa fundada por Sancho el Sabio de Navarra en el siglo XII. Conserva casi intactas sus murallas y portales, así como los templos-fortaleza de Santa María y de San Juan. Aquí se encuentra el palacio del genial fabulista Samaniego que nació en esta villa. En **Lagrán** hay que señalar los restos y portales de su fortificación medieval así como el palacio de los Vianas y su iglesia con portada plateresca.

Al este de la provincia se localiza **Salvatierra**, fundada por Alfonso X en 1256. Conserva aún el trazado medieval de sus tres calles principales, su dos templos-fortaleza, el de San Juan y el de Santa María, y restos de su muralla. Su plaza porticada y sus numerosos palacios completan el conjunto monumental. Muy cerca de esta población se encuentra el dolmen de Arrízala y un poco más allá el domen de Aguílaz.

Al norte de la capital se extienden tres lagos artificiales: el de Santa Engracia, el de Zadorre y el de Albina y en el noreste se localiza la población de **Amurrio,** villa regada por el Nervión cuyo templo parroquial conserva su portada del siglo XIII. Un poco más al norte encontramos **Arceniega** en donde aún permanecen en pie parte de su recinto amurallado y un torreón de finales del siglo XVI dominando uno de los costados de la villa.

San Sebastián, (Donostia), es la capital de Guipúzcoa y una de las ciudades más bellas de España con su amplia bahía de la Concha y sus excelentes playas de la Concha y Ondarreta, dominadas por tres montes: Igueldo, Urgull y Ulía. La "bella Easo", como la conocían algunos historiadores, conserva de sus fortificaciones medievales el castillo de la Mota y algunos lienzos de muralla. En la parte vieja, centro de la vida tradicional de la ciudad, se alzan sus dos iglesias más hermosas, la gótica de San Vicente y la barroca de Santa María, así como el viejo convento de San Telmo con su bello claustro, hoy convertido en museo. Toda esta parte vieja está llena de bares y restaurantes en donde se degusta la mejor cocina vasca. En la parte moderna se localiza la catedral del Buen Pastor, realizada en estilo gótico.

La costa guipuzcoana está surcada por bellos puertos pesqueros y soberbias playas. Las de **Fuenterrabía, Orio, Zarauz, Guetaria, Zumaya** y **Deva** son las más conocidas. En el interior de la provincia se encuentran **Irún,** la población más cercana a la frontera francesa, **Tolosa,** famosa por ser uno de los primeros centros de España en la fabricación de papel, **Azpeitia,** célebre por ser la cuna de San Ignacio de Loyola y en donde en su casa solariega se edificó en el siglo XVII el monasterio y santuario de su nombre, y **Vergara,** situada en el valle del Deva, en la que destaca la iglesia de Santa María de Oxirondo, del siglo XVI, así como un conjunto de casas de estilo plateresco.

Bilbao o Bilbo es la capital de la provincia de Vizcaya. Fundada en los comienzos del siglo XIV, es la mayor ciudad de la región. En su casco viejo se encuentra la catedral de Santiago, de estilo gótico, restaurada en diversas ocasiones. Junto al puente del mismo nombre se alza la iglesia de San Antón, de estilo gótico, concluida en la primera mitad del siglo XV. En arquitectura civil destacan la Plaza Nueva, comenzada durante el reinado de Fernando VII, y el antiguo Hospital, hoy escuela de Maestría. Son también notables los palacios del Ayuntamiento y de la Diputación, de finales del siglo XIX. Situado al fondo de la ría del Nervión posee un importante cinturón industrial, con pueblos, que como **Baracaldo, Sestao, Portugalete,** etc..., se alinean en los 14 kilómetros de la ría. **Las Arenas, Neguri, Guecho** y **Algorta** son sus barrios residenciales.

Numerosos puertos pesqueros de una belleza y tipismo inigualables se extienden por la costa vizcaína: **Ondárroa, Lequeitio, Ibarranguelua, Mundaca** y **Bermeo.** Bermeo es un importantísimo puerto pesquero del Cantábrico y base de una importante industria conservera. Durante la Edad Media ostentó el título de "Cabeza de Vizcaya". Cuando sus representantes hablaban en las Juntas Generales de Guernica los demás escuchaban con la cabeza descubierta. En la población, junto con la iglesia gótica de Santa Eufemia y el convento de San Francisco del siglo XIV, se conserva la sobria torre de Ercilla, un ejemplo de las clásicas torres o casas fuertes vascongadas.

En el interior de la provincia los bellos y clásicos caseríos ocupan las laderas de este paisaje accidentado. Al final de la ría de Bilbao se halla la ciudad de **Guernica.** La tradición cuenta que antes de que existiera Guernica ya se reunían en aquel lugar las Juntas del Señorío que celebraban sus reuniones al aire libre, a la sombra de un roble. En el año 1336 recibió el título de Villa. Las sesiones de las juntas generales se celebraban, por lo menos desde comienzos del siglo XV, en una ermita que fue derrumbada en 1826 para edificar en su lugar una Casa de Juntas, emplazada junto al roble tradicional, que se había convertido en símbolo de las libertades. Prácticamente destruida durante la Guerra Civil por un devastador bombardeo en abril de 1937, Guernica es mundialmente conocida por la famosa pintura de Picasso basada en el bombardeo de la villa y que ha permanecido en el Museo de Arte Moderno de Nueva York hasta que una vez establecida la democracia en España se instaló en el Casón del Buen Retiro, junto al Museo del Prado para posteriormente recabar en el Museo Reina Sofía de Madrid. Además de la Casa de Juntas del Señorío de Vizcaya, situada junto al famoso árbol, hay que destacar en la población la iglesia de Santa María, construida entre el siglo XV y XVIII, con portada y cabecera góticas.

Durango, fundada por Sancho IV de Navarra en 1180, se localiza en el valle del Ibarzábal, en el camino que conduce de Bilbao a Guipúzcoa. Sus numerosas casas solariegas, la famosa cruz de Antziaga, del siglo V, y el portal de Santa Ana, fechado en

1566 y que perteneció a la muralla, junto con las iglesias de San Pedro de Tabira y de Santa María de Uriberri, constituyen su principal conjunto monumental.

NAVARRA

Haciendo frontera con Francia, a través de los Pirineos, este antiguo reino medieval conserva en su suelo numerosos testimonios del importante papel que jugó en el pasado. Morfológicamente se distinguen dos regiones: la zona del Pirineo y la cubeta que forma el valle del Ebro.

Las fiestas de San Fermín, el 7 de julio, que se celebran en **Pamplona** son universalmente conocidas. El bullicio de las incansables "peñas", las corridas de toros, el vino a raudales y sobre todo los diarios encierros por la calle de la Estafeta, en los que los mozos corren por delante de los toros teniendo únicamente como defensa un periódico doblado, han inmortalizado esta semana de alegría y bullicio en honor del obispo y mártir pamplonés. San Fermín también se celebra en otra localidad navarra, en **Lesaca,** con interesantes danzas populares entre las que destaca el *zubigaineko.*

Pero el folklore navarro es de una gran riqueza. El *Olentzero,* representación de un carbonero que deja las montañas y baja al pueblo para dar la buena nueva, es paseado a hombros por numerosas cuadrillas el día de Nochebuena en Lesaca y Pamplona. El lunes y martes siguientes al último domingo de enero, los *goriak* o *zanpanzarrak* de **Ituren** y **Zubieta** se visten con enaguas blancas que se colocan sobre un pantalón azul, albarcas y pieles de oveja y, tocados con un gorro cónico y multicolor denominado "tunturro" van de un pueblo a otro haciendo sonar rítmica y estruendosamente los enormes cencerros que llevan a la espalda mientras blanden en la mano un pequeño escobón. Las fiestas de carnaval se celebran en **Lanz** con la aparición de un muñeco gigante hecho de paja, el *miel otxin,* otro recubierto de heno y arpillera, el *ziripot,* y el caballo o *zaldiko.*

El 30 de abril tiene lugar en **Tafalla** una importante romería con la salida de los "doce apóstoles", que con túnica y capillo negro, cordón al cinto y un farolillo en la mano se dirigen al santuario de Nuestra Señora de Ujué, recorriendo a pie unos 17 kilómetros de distancia. El domingo siguiente al de Pentecostés los "cruceros" de **Lumbier** van en romería hasta la ermita de la Santísima Trinidad, situada en la cima de un monte. Vestidos con túnica y capuchones negros, muchos de ellos descalzos y cargados con cruces, estos penitentes perpetúan una tradición antaño muy arraigada en Navarra. El 13 de julio tiene lugar en **Roncal** el "tributo de las tres vacas", en el que toman parte los alcaldes del valle del Roncal y los del valle francés de Baretous que entregan a los primeros tres vacas en cumplimiento de una sentencia de 1375 que puso fin a las disputas entre roncaleses y baretones.

En la gastronomía navarra una de las recetas favoritas es la trucha a la navarra. Consiste en dejar el pez a remojo en vino un rato antes de rellenarlo con una lonja de jamón y freírlo ligeramente rebozado en harina. En carnes son famosas las chuletas a la navarra y el cochifrito navarro, un cordero frito en pequeños trozos. Las codornices se asan envueltas en hojas de parra y las palomas torcaces, con hierbas, a la parrilla y a veces, utilizando antiguas recetas, se preparan con salsa de chocolate. Un embutido muy característico de la zona es la "chistorra", que se prepara a la brasa, y como postres, los quesos de Roncal figuran entre los mejores de la región.

La ciudad de **Pamplona,** también conocida como **Iruña**, está emplazada a las orillas del río Arga. Su principal monumento es la catedral gótica, comenzada en 1307 y finalizada en 1525. Esta iglesia, de tres naves con crucero posee un bellísimo claustro de los siglos XIV y XV. La iglesia de San Germán, presidida por una imagen de Santiago, es de estilo gótico con torres románicas. Pamplona conserva buena parte de sus murallas, principalmente las que datan del siglo XVI. La Cámara de Comptos y el Ayuntamiento, de fachada barroca, junto con el antiguo Hospital de la Misericordia, de estilo plateresco, hoy Museo de Navarra, son sus principales monumentos civiles. Hay que resaltar su bellísimo casco antiguo con la Plaza del Castillo y la popular calle de la Estafeta, llena de bares y tascas para "tapear".

El Camino de Santiago atraviesa Navarra por las dos ramas principales procedentes de Francia. La primera llega a esta región desde Jaca. El primer punto de referencia es el monasterio de **Leyre** donde desde hace siglos sigue funcionando una hospedería regentada por los frailes. En sus primeros tiempos fue un solitario cenobio benedictino que llegaría a albergar a la corte de Navarra. Su cripta, techada en el siglo X, constituye una de las muestras más antiguas del románico. Es extraordinaria su portada occidental presidida por un crismón y dotada de excelentes relieves escultóricos. En estos parajes tuvo lugar, como cuenta la tradición, la historia de San Virila, un monje que se quedó embelesado escuchando el canto de un ruiseñor. Cuando volvió en sí y retornó al monasterio, se comprobó que habían transcurrido trescientos años.

Dejando a la izquierda el castillo de Javier, donde se celebra anualmente la "Javierada", se llega a **Sangüesa,** una de las fortalezas más antiguas del reino de Navarra. La iglesia románica de tres naves de Santa María la Real, donada en 1132 a la Orden de Jerusalén, posee una maravillosa portada que presenta una abigarrada composición de imágenes entre las que destacan las estatuas-columnas que flanquean la entrada, una de ellas representando un excepcional Judas ahorcado. Antes de abandonar la ciudad hay que visitar las iglesias románicas de Santiago, San Salvador y San Francisco, así como el palacio gótico del duque de Granada. Tras atravesar el río Irati, la Foz de Lumbier y **Monreal** los peregrinos llegaban a **Eunate,** que posee uno de los tres templos funerarios que jalonaban el Camino. De allí se alcanzaba **Puente la Reina** donde se unían con la segunda rama procedente de Francia.

El segundo ramal tenía su primera parada en el pueblo de **Valcarlos,** escenario de las hermosas leyendas contenidas en la *Canción de Roldán* que tenía como protagonista a Carlomagno. A veinte kilómetros, cruzando el puerto de Ibañeta, donde un monje tañía las campanas para indicar el camino a los peregrinos, se llegaba a **Roncesvalles,** población de acentuado carácter medieval. Su hospedería se remonta a principios del siglo XIII, aunque lo que hoy se conserva data básicamente de la reconstrucción del siglo XVI. La colegiata fue uno de los primeros ejemplos del arte gótico en España; en ella se conserva una imagen de la Virgen del siglo XIII que según cuenta la leyenda apareció milagrosamente señalada por un ciervo que llevaba una estrella en su cornamenta.

A través de una serie de pueblos se llegaba a Pamplona y de allí a Puente la Reina, denominada así por el puente que Doña Mayor mandó edificar sobre el Arga en el siglo XI para facilitar el paso a los peregrinos. La ciudad conserva parte de sus murallas. La siguiente población importante era **Estella,** denominada también **Izarra**, antigua ciudad romana. Además del románico palacio de los Reyes de Navarra, numerosas iglesias como la de San Pedro de la Rúa, la del Santo Sepulcro, la de San Miguel... se encuentran repartidas por su casco urbano. El monasterio de Irache y el ruinoso castillo de San Esteban son también recuerdos del apogeo de las peregrinaciones. Tras pasar por **Arcos, Torres del Río,** con su iglesia funeraria de planta octogonal, y **Viana,** se entra en la provincia de Logroño.

Fuera de la ruta de Santiago hay que mencionar en Navarra dos importantes poblaciones. La histórica ciudad de **Tafalla** conserva parte de sus murallas medievales que, junto con el convento de las Recoletas y la iglesia de Santa María son sus monumentos principales. **Tudela,** a la orilla derecha del río Ebro, fue denominada *Tutela* por los romanos. Sobre los restos de una mezquita califal del siglo IX se construyó, en el siglo XIII, la catedral de tres naves con claustro románico. La iglesia de la Magdalena, con portada románica, y la de San Nicolás completan el interés artístico de la población.

LA RIOJA

Esta pequeña región, situada en el vértice occidental del valle del Ebro, es mundialmente conocida por la calidad de sus vinos tintos que con el nombre genérico de "Rioja" han alcanzado un merecido prestigio internacional. Su folklore gira también en torno al vino. Las fiestas de la vendimia se celebran en la segunda quincena de septiembre. El día 29 de junio, festividad de San Pedro, tiene lugar en **Haro** la popular "batalla del vino" en la que decenas de hectolitros de vino de Rioja se utilizan como munición para empaparse unos a otros. El 22 de julio, festividad de Santa María Magdalena, los danzadores de **Anguiano** se lanzan cuesta abajo, descendiendo previamente las escaleras de la iglesia sobre sus largos zancos. El último sábado de septiembre, estos mismos danzadores acompañan a la Santa en el camino de vuelta a su ermita.

La Semana Santa riojana alcanza su máxima espectacularidad con los "picaos" de **San Vicente de la Sonsierra,** una forma de penitencia y automortificación que se remonta a la Edad Media. Los "picaos" con la cara cubierta y la espalda al aire, se infringen fuertes golpes utilizando un manojo de lino que llevan en la mano. Para evitar una peligrosa congestión, se les "pica" en la espalda, para que la sangre mane con fluidez. Durante el mes de mayo en **Sorzano** tiene lugar la procesión de las cien doncellas. **Arnedo** celebra unas fiestas típicas a partir del 27 de septiembre, día de San Cosme y San Damián, con la procesión del robo de los santos entre arnedanos y navarros.

Desde el punto de vista gastronómico el vino es el que acapara la atención de esta región española. El Rioja es un vino con una largísima historia que ya aparece citado en documentos del siglo XII y que en muchas bodegas aún sigue elaborándose con técnicas artesanas. Su graduación oscila entre los 12 y los 14 grados. La cocina ha creado un estilo propio que se conoce con el sobrenombre de "a la riojana". Estos preparados tienen en común un sofrito de pimientos encarnados, chorizo y espárragos. Un plato muy típico y exquisito son los pimientos rellenos a la riojana en el que se embucha al pimiento rojo un relleno a base de carne de cerdo picada y miga de pan.

La actual ciudad de **Logroño** corresponde a la *Inlobriga* romana de los tiempos de Augusto. Bañada por el río Ebro, la capital de la Rioja conserva muy pocos restos de la muralla medieval. Sus principales edificios son: la iglesia de San Bartolomé, de los siglos XIII y XIV, con su bella torre mudéjar; la iglesia de Santa María del Palacio, fundada en el siglo XI; y la catedral de Santa María la Redonda de los siglos XV y XVI que luce sus hermosas torres barrocas construidas en el siglo XVIII.

El Camino de Santiago atravesaba la Rioja procedente de Navarra. La Rua Vieja y la Calle Mayor de Logroño fueron las vías que utilizaron los peregrinos para atravesar la villa, no sin antes detenerse ante la iglesia de Santiago el Real. **Navarrete** era el siguiente punto de destino. Poco antes de entrar en la población, se conservan, a la derecha, las ruinas de un antiguo hospital del siglo XII. **Nájera,** capital histórica de la Rioja, alcanzó su mayor esplendor bajo la dinastía de los reyes navarros y fue en ella donde se acuñó por primera vez moneda, bajo el reinado de Sancho el Grande. La iglesia gótica de Santa María la Real, su edificio monumental más importante, alberga en su interior el panteón de los Reyes.

Santo Domingo de la Calzada constituyó una de las etapas más importantes del Camino de Santiago. Fue fundada por Santo Domingo, un monje que dedicó gran parte de su vida a facilitar el paso a los peregrinos construyendo con sus propias manos el puente que salva el río Oja. La población conserva restos de las murallas medievales así como una magnífica catedral, iniciada a mediados del siglo XII y concluida en época gótica.

En **San Millán de la Cogolla** se hallan dos célebres monasterios: el de Yuso, denominado por su estilo herreriano el Escorial de la Rioja, y el monasterio de Suso, fundado por San Millán en el siglo VI. De este monasterio salió el primer texto escrito en idioma castellano. Muy cerca se encuentra **Berceo,** cuna del poeta Gonzalo de Berceo, que se encargó de transmitirnos los primeros versos en lengua romance.

Otras poblaciones importantes de la Rioja son **Haro,** el centro vinícola más renombrado de la región, que conserva restos del castillo de los Velasco y de su antiguo recinto amurallado; **Clavijo,** donde se mantienen en pie las ruinas del castillo y donde venció Ramiro I de Asturias al cordobés Abderramán II el 23 de mayo del año 844 y, según cuenta la leyenda, la intervención milagrosa de Santiago "matamoros" fue decisiva para decantar la victoria a favor de las tropas cristianas; y **Calahorra,** que hunde sus raíces en la *Calagurris Julia* romana. Entre sus monumentos sobresalen la catedral y las iglesias de Santiago y de San Francisco.

CASTILLA-LEÓN

Esta extensa región del interior de la Península se asienta sobre la meseta castellana. Incluye territorios del antiguo reino de León y la mitad norte del antiguo reino de Castilla. En su paisaje estepario y llano se ha asentado un inmenso patrimonio histórico y monumental difícilmente igualable.

En todas las poblaciones de Castilla la Semana Santa se celebra con gran solemnidad, destacando los pasos procesionales de Valladolid y Zamora. El último domingo de enero, los "quintos" corren tras los gallos en el pueblo zamorano de **Guarrate,** a los que atribuyen sus propios defectos. El día de San Blas, 3 de febrero, tiene lugar la romería de la caridad en **Ciudad Rodrigo** (Salamanca). En **Zamarramala,** en la provincia de Segovia, se celebra en el mes de febrero la "fiesta de las Alcaldesas". Dos mujeres casadas, ataviadas con el vistosísimo traje zamarriego, son las protagonistas del festejo y durante ese día mandan en el pueblo. La jornada concluye a última hora del día con la quema de un "pelele", previa lectura de un testamento. El domingo de Pascua de Resurrección en _**Aranda de Duero**_ (Burgos) y en _**Peñafiel**_ (Valladolid) se representa "la Bajada del Ángel". Un niño vestido de ángel baja por una maroma y retira el velo negro que cubre el rostro de la Virgen.

En la noche de San Juan tiene lugar en _**San Pedro Manrique**_ (Soria) el "paso del fuego". Descalzos, con el paso decidido y a veces con una persona sobre los hombros, los "pasadores" atraviesan una alfombra de ascuas encendidas sin quemarse; a la mañana siguiente y sin relación con la celebración anterior, la fiesta de las "móndidas" rememora la desaparición del tributo de las cien doncellas. En _**La Alberca**_ (Salamanca), el 15 de agosto, día de la Asunción de la Virgen, se celebra "El Ofertorio" en su singular Plaza Mayor, mientras que al día siguiente se escenifica "La Loa", una especie de auto sacramental popular, en la plazuela de la iglesia.

La cocina castellana posee una serie de platos muy extendidos por toda la región. Los típicos garbanzos, una legumbre que trajeron a España los cartagineses, constituyen el ingrediente principal de todos los cocidos de Castilla. Son también muy apreciadas otras legumbres, como las lentejas y las alubias, que se preparan con chorizo, rabo y oreja de cerdo. Castilla es "tierra de pan" y los panes de pueblo son excelentes en toda la meseta castellana.

A nivel popular destacan los asados: el de lechón y el de cordero. El cordero castellano se prepara siempre en cazuela de barro untada de manteca, mientras que el cochinillo, un cerdito de quince a veinte días y con un peso de tres o cuatro kilos, se asa con preferencia en horno de leña con tomillo. Los cangrejos de río aderezados con una salsa sabrosísima constituyen un plato exquisito.

En la comarca de Astorga, en León, se prepara el cocido maragato y en Salamanca es popular la "chanfaina salmantina", hecha con arroz, menudillos de aves y cordero y pedacitos de chorizo. Los quesos castellanos, como los de Villalón, Valladolid y Burgos, son muy apreciados; en cuanto a dulces, las almendras garrapiñadas de Briviesca (Burgos) han conquistado el mercado nacional. Los recios y secos vinos de Castilla son casi siempre tintos, aunque la región de Rueda produce unos extraordinarios blancos, sin olvidar los sensacionales tintos de Valladolid.

La ciudad de _**Segovia**_ tiene un origen castrense ya que por su estratégica situación fue plaza militar de los iberos, encargada de controlar el acceso al valle del Duero. En su interior se encuentra el famoso acueducto, construcción de los romanos que ha llegado hasta nuestros días en perfecto estado de conservación. Su edificación, con sillares de granito unidos en seco, es una obra maestra de los ingenieros romanos. Por su parte superior corre el canal que durante siglos ha transportado el agua a la ciudad.

Segovia encierra en su recinto amurallado, conservado casi en su totalidad, otras muchas obras de arte singulares. Formando parte de la muralla se alza el Alcázar, asentado sobre una elevada roca. Es muy notable el conjunto de iglesias románicas de la ciudad, con sus característicos atrios porticados de los siglos XII y XIII. La catedral es de estilo gótico tardío y aunque se comenzó en 1525 fue consagrada en el año 1768. Numerosos edificios civiles, como la Casa de los Picos, del siglo XVI, con su fachada de sillares de granito tallados en forma de punta de diamante, completan este extraordinario conglomerado de construcciones civiles y religiosas cuyo conjunto ha sido declarado por la UNESCO Patrimonio de la Humanidad.

Los pueblos segovianos tienen un recio sabor castellano. Entre ellos podemos destacar a _**Sepúlveda,**_ que conserva de la Edad Media restos de murallas y un castillo. Su pintoresco caserío, sus casas hidalgas y las viviendas labradas en roca, junto con iglesias como la de El Salvador, del siglo XI, hacen de Sepúlveda una ciudad digna de ser visitada. _**Turégano,**_ con el castillo que fue prisión de estado en tiempos de Felipe II, _**Riaza,**_ con su típica Plaza Mayor, _**Coca,**_ con su monumental castillo de ladrillo, de triple recinto con planta cuadrada, construido en la segunda mitad del siglo XV por el arzobispo de Sevilla Alonso de Fonseca, y _**Cuéllar,**_ que con su castillo, murallas e iglesias constituye un importante núcleo de arquitectura mudéjar en ladrillo, son algunos de estos recios pueblos castellanos.

**Ávila de los Caballeros** data de los tiempos celtíberos y está asentada sobre un escarpe rocoso que domina, por el noreste, el valle del río Adaja. Ávila conserva el más completo y antiguo recinto amurallado del medievo español. Sus murallas comenzaron a levantarse en el año 1090 pero la mayoría de las obras defensivas se realizaron a lo largo del siglo XII. Esta construcción de 2.516 metros de perímetro, con un espesor medio de tres metros, está reforzada por 82 torreones salientes de planta semicircular. La más poderosa de sus torres, el Cimorro, situado en el sector oriental, es en realidad el robusto ábside de la catedral, la más antigua de España dentro del estilo de transición entre el románico y el gótico.

Lo más peculiar del casco viejo son sus palacios renacentistas de estilo sobrio y elegante, como los de Velada, Verdugo, Bracamonte..., o sus casas señoriales, como la de Oñate o la de los Deanes, entre otras. Numerosos conventos se localizan en el interior de la ciudad, algunos de ellos, como el de la Encarnación o el de San José, relacionados con Santa Teresa de Jesús, la gran mística y escritora española que nació y pasó muchos años de su vida en este pueblo castellano. Las iglesias románicas *extramuros* –situación histórica propia de Castilla– como la de San Vicente, la de San Pedro, la de San Andrés y la de San Segundo, completan la monumentalidad de esta ciudad villa declarada también por la UNESCO Patrimonio de la Humanidad.

El sur de la provincia abulense está ocupado por la mole de la sierra de Gredos, dominada por el pico Almanzor (2.592 m), y en la que se encuentra la Reserva Nacional de Caza de Gredos, que alberga la población más importante de cabras monteses de España, refugiada en unos agrestes parajes de singular belleza. Al norte se encuentra **Arévalo,** una de las villas más disputadas en las guerras civiles castellanas y un importante foco del arte mudéjar de la región con restos de la muralla, un castillo y soberbios puentes en obra de ladrillo sobre el Adaja y el Arevalillo. En la histórica ciudad de **Madrigal de las Altas Torres** nació, en 1451, la gran reina española Isabel la Católica. Madrigal fue sede de las cortes castellanas en 1438 y conserva sus murallas y torreones medievales. En el casco urbano, junto con excelentes ejemplos de la arquitectura mudéjar en ladrillo, se conservan numerosas casas señoriales y una bellísima plaza con soportales.

La antigua *Salmantica* conquistada por Aníbal el año 217 antes de Cristo es la actual **Salamanca.** Tras la reconquista de Toledo por Alfonso VI en el año 1085 se convirtió en una de las más prósperas "repoblaciones" de Castilla. En el siglo XII la escuela de la catedral atraía a tal número de estudiantes que fue declarada universidad en 1218. Favorecida por los reyes castellanos, la Universidad de Salamanca se convirtió en el siglo XIV en uno de los cuatro grandes centros del saber del mundo cristiano junto con París, Oxford y Bolonia.

Salamanca es la ciudad universitaria por excelencia. Sus monumentos góticos y románicos, como las iglesias de San Martín, San Julián, San Marcos y la catedral Vieja, coexisten con grandes edificaciones del Renacimiento como la Universidad, las Escuelas Menores y el palacio de Monterrey. El siglo XVIII marca el cénit de los grandes monumentos de Salamanca gracias a las creaciones de los Churriguera; la catedral Nueva, la Clerecía o seminario jesuita y el colegio de San Ambrosio son algunos ejemplos de ellos. Pero la pieza maestra de la ciudad es su Plaza Mayor, el proyecto más importante de Alberto Churriguera, que terminó sus planos en 1729. El genial arquitecto murió antes de poder ver terminada su obra, que fue rematada por Andrés García de Quiñones. No hay que olvidar tampoco los monumentos *extramuros* como son el bellísimo puente romano, la capilla de Vera Cruz o el palacio de San Boal, entre otros muchos.

Ciudad Rodrigo, cerca de la frontera con Portugal, se asienta sobre la antigua *Miróbriga*, población de los vetones. Conserva de la época medieval una buena parte de su recinto amurallado, con tres puertas, y el Alcázar de siglo XIV, hoy convertido en parador de turismo. La catedral, concluida en el siglo XIII, fue realizada siguiendo el modelo de la de Zamora. Numerosas iglesias, el Ayuntamiento renacentista y diversas casas señoriales de los siglos XV y XVI completan su patrimonio monumental. El pueblo de **Béjar,** situado en la sierra de su nombre, al sur de la provincia, es famoso por su industria textil que se remonta a finales del siglo XIII. Además de los restos de la muralla medieval conserva las iglesias de Santa María, del siglo XIII, y del Salvador, del siglo XIV.

La histórica ciudad de **Zamora** se levanta en la margen derecha del río Duero. Dice la tradición que en su suelo nació el célebre guerrillero Viriato, el terror de los romanos, a quienes derrotó en ocho batallas que son las ocho franjas rojas, la "Seña Bermeja" de la bandera de la ciudad. De sus fortificaciones medievales se conservan algunos lienzos de la muralla, la puerta de doña Urraca y la de los Olivares, así como el castillo. Sobre la muralla, de cara al río, se levanta la denominada Casa del Cid, del siglo XII, con la portada de arco semicircular.

La catedral, la "perla del siglo XII", está enclavada en el extremo de la ciudad vieja. Lo más original del edificio es el cimborrio, de influencia oriental, cuya cúpula de gallones se cubre en el exterior con escamas pétreas. En el transcurso del siglo XII se construyeron en la villa numerosas iglesias románicas, como las de Santiago del Burgo, de la Magdalena, de San Cipriano, de San Juan... Sus viejas y tortuosas calles escalonadas que bajan al río reciben nombres gremiales como Herreros o Arpilleros, y en ellas se encuentran edificios señoriales como el palacio de Arias Gonzalo, la Casa del Cordón o Palacio de "Puñoenrostro", bajo la torre de San Ciprián, o el palacio de los Momos, hoy Palacio de Justicia, singular muestra del gótico civil.

Desde Zamora hacia el este, remontando el Duero, se llega a la también histórica ciudad de **Toro,** en la que destaca la colegiata de Santa María la Mayor fundada en el año 1160 por Alfonso VII y concluida en 1240. Numerosos conventos y templos salpican esta plaza fuerte. Además de sus palacios y casas señoriales hay que señalar los restos medievales de sus murallas, su antiquísimo puente de piedra, la esbelta Torre del Reloj y el Ayuntamiento. Al norte de la capital, casi lindando con León se encuentra **Benavente,** "la villa de los Condes", con monumentos románicos como San Juan del Mercado, el Monasterio del Temple y la Encomienda de Sanjuanistas. El castillo-palacio de los Condes-Duques fue incendiado por las tropas napoleónicas y de él sólo se conserva la Torre de Caracol.

El noroeste de la provincia está ocupado por la región sanabresa, la más pintoresca de todas, en la que montañas, bosques y pinares sorprende gratamente a quien la visita. El famoso lago de Sanabria o de San Martín de Castañeda es de origen glaciar y se encuentra situado a 1.028 metros de altitud sobre el nivel del mar. Paraíso de los pescadores, el lago alcanza los 60 metros de profundidad. En sus proximidades, **Puebla de Sanabria** es una villa con un castillo del siglo XV y una iglesia del siglo XII.

Los orígenes de la ciudad de **León** se remontan al campamento romano que levantó la legión *Septima Gemina,* destinado a detener el empuje de cántrabros y astures. Al trasladar allí su corte Orduño II en el siglo X, se convirtió en la ciudad más importante de la España cristiana. Aunque saqueada por Almanzor, una vez reconquistada, continuó siendo durante mucho tiempo la capital del reino leonés. La catedral, la *"Pulchra Leonina",* es su monumento principal, una joya del arte gótico. El exterior se adorna con una abundante estatuaria del siglo XIII y el interior se divide en tres naves con crucero, triforio y girola. Llaman poderosamente la atención sus gruesos muros calados con casi dos centenares de ventanales, óculos y rosetones con vidrieras policromas de los siglos XIII al XVI y algunas más modernas.

La colegiata de San Isidoro fue fundada sobre un templo prerrománico dedicado a San Juan Bautista para servir de mausoleo a San Isidoro de Sevilla. Consagrada en 1063, se caracteriza porque el cuerpo del templo es románico, la cabecera gótica y las cornisas renacentistas. Su pórtico lateral se considera el primer pórtico románico instalado en una iglesia en España. La fachada del Perdón es también la primera en la que se decora con escenas sacadas del Evangelio. Hacia el año 1160, un artista desconocido decora las bóvedas y altos parámetros del panteón con pintuas al temple. Su valor y belleza es tal que a este recinto se le llama la "Capilla Sixtina del Arte Románico".

El convento de San Marcos, hoy convertido en hostal, posee una monumental fachada plateresca. Otros monumentos importantes de la ciudad son la iglesia románica de Santa María del Mercado, el palacio de los Guzmanes, el Consistorio y el palacio de los condes de Luna. La casa de los Botines, obra del genial artista catalán Antonio Gaudí, completa el valioso acervo cultural de León.

El Camino de Santiago, según el *Códice Calixtino,* tenía como punto obligado para los peregrinos detenerse en León donde, tras visitar la colegiata, debía dirigirse a la soberbia catedral gótica y allí, en la portada principal poner sus manos sobre la desgastada columnilla que sirve de pedestal a la imagen de Santiago que se encuentra situada a la izquierda de la Virgen Blanca. El Camino penetraba en la provincia por **Sahagún,** un importante foco del arte mudéjar de los siglos XII y XIII del que se conservan diversas iglesias como las de San Lorenzo y San Tirso. En la ciudad se encuentran los restos del monasterio de San Benito. Al sur de Sahagún, a unos cinco kilómetros del casco urbano, se localiza el monasterio románico de San Pedro de Dueñas. En **Mansilla de las Mulas** todavía se conservan en pie algunos lienzos de las murallas medievales. Fue éste un pueblo profundamente ligado a la peregrinación y contó en otros tiempos con cuatro hospitales, siete iglesias y dos conventos.

Tras abandonar León, los peregrinos llegaban a **Hospital de Orbigo,** donde puede contemplarse sobre el río el puente más antiguo del Reino. Su fama se debe a que fue el escenario de unas justas caballerescas, que duraron un mes, protagonizadas por Suero de Quiñones, que más adelante pasarían a la literatura con el nombre de "Paso Hermoso". Muy cerca queda **Astorga,** capital de la Maragatería, rodeada de murallas, que según las crónicas medievales contaba con 22 hospitales para peregrinos. Su catedral gótica del siglo XV posee elementos decorativos platerescos y barrocos. Cerca de ella se alza el Palacio Episcopal, obra neogótica de Gaudí, construido a finales del siglo pasado y que hoy alberga el museo de los Caminos.

El valle del Bierzo está salpicado de ruinas de abadías y monasterios. El Camino de Santiago salvaba el puerto de Manjarín con la célebre Cruz de Ferro que se eleva sobre un montón de piedras al que, según una tradición que se remonta a la época romana, los caminantes debían arrojar al pasar una piedra más. **Ponferrada,** a orillas del Sil, está precedida por el castillo de los Templarios, del siglo XIII, uno de los más bellos monumentos españoles de la arquitectura militar en la Edad Media. En **Villafranca del Bierzo** comienza la ascensión al puerto de Piedrafita, en los Ancares, por donde el Camino penetraba en Galicia. Allí se encuentra la iglesia románica de Santiago, del siglo XII, a la que llegaban los peregrinos enfermos que no podían seguir el Camino y donde podían ganar el jubileo. En la población hay que destacar la colegiata, los templos de San

Nicolás y San Francisco y el castillo-palacio de los condes de Peñarramiro. A tres kilómetros de la ciudad está **Corullón** con sus iglesias románicas del siglo XII, la de San Miguel y la de San Esteban, y un castillo del siglo XV.

Palencia era un importante poblado fortaleza de los vacceos. La *Palentia* o *Vallentia* romana estuvo al principio situada en la orilla izquierda del Carrión pero debido a las frecuentes crecidas del río fue trasladada a la margen derecha. Fue una de las principales ciudades de Castilla y en ella se celebraron Concilios en 1113 y 1124. La ciudad conserva todavía un aspecto marcadamente medieval, destacando su catedral, comenzada en el año 1321 y terminada en el año 1516. De estilo gótico, presenta tres naves con crucero y girola. En su interior se conserva la cripta de San Antolín, un recinto de época visigótica del siglo VII y, dándole acceso, una nave prerrománica de la primera mitad del siglo XI. Entre las numerosas iglesias que siembran la ciudad sobresalen la de San Miguel, de los siglos XII y XIII con su hermosa torre, y la iglesia gótica del monasterio de San Pablo.

El Camino de Santiago pasa también por Palencia procedente de la provincia de Burgos. La primera población importante es **Frómista,** con la iglesia de San Martín de finales del siglo XI, uno de los mejores ejemplos del románico jacobeo, en la que destacan una serie de capiteles y el cimborrio octogonal. Una carretera comarcal une Frómista con **Villalcázar de Sirga,** población presidida por la iglesia de Santa María la Blanca que alberga en su interior excelentes esculturas románicas entre las que sobresale una Virgen sedente situada frente a la capilla de Santiago. A siete kilómetros se encuentra **Carrión de los Condes** con su convento de Santa Clara del siglo XIII, la iglesia de Santa María del Camino, un edificio románico del siglo XII y la iglesia de Santiago con su Cristo sedente rodeado de los símbolos de los Evangelistas, una de las obras maestras de la escultura del siglo XI. A la salida de Carrión se alza el monasterio de San Zoilo con su magnífico claustro plateresco. Tras atravesar pequeñas poblaciones, todas ellas con restos medievales, se llega a Sahagún, en la provincia de León.

Otras poblaciones con un importante bajage monumental en la provincia de Palencia son **Saldaña,** con la casa barroca del marqués de la Valdavia y la iglesia de San Miguel, en cuyas proximidades se ha descubierto una villa romana con extraordinarios mosaicos, y **Aguilar de Campoo,** villa del año 822 que conserva parte de su recinto amurallado y diversas casas solariegas de los siglos XV y XVI, así como el monasterio benedictino de Santa María la Real de los siglos XII y XIII.

Bañada por las aguas del río Pisuerga, afluente del Duero, la ciudad de **Valladolid** se ha convertido en un importante nudo de comunicaciones. Juan de Herrera trazó los primeros planos de la catedral que fue terminada con el añadido de un segundo cuerpo proyectado por Alberto Churriguera en el siglo XVIII. La iglesia más antigua es la de Santa María que conserva del siglo XII su torre y parte del claustro. El colegio de San Gregorio es un magnífico edificio plateresco construido a finales del siglo XV, que en la actualidad es sede del Museo Nacional de Escultura, albergando una completísima colección de los grandes imagineros españoles de los siglos XVI y XVII, incluidas obras de Berruguete. El Colegio Mayor de Santa Cruz, iniciado según cánones góticos y concluido en estilo renacimiento, es hoy museo de Arqueología. Numerosos palacios del siglo XVI como los de Benavente, Herrera, Escudero... salpican la ciudad.

Importantes e históricas poblaciones se localizan en la provincia vallisoletana. Al sur, **Medina del Campo,** ciudad de origen celtibérico que pasó a la historia porque en el año 1495 murió en el castillo de la Mota la gran reina Isabel la Católica. A la sombra de dicha fortaleza se alza la población con sus mansiones señoriales, como el ranacentista palacio de Dueñas y la colegiata gótica de San Antolín, de tres naves, que data del siglo XIV. Al norte, **Medina de Rioseco** con la gran iglesia de Santa María de Mediavilla, de los siglos XV y XVI, con sus maravillosos retablos, y la iglesia de Santiago con su fachada renacentista.

Al este de Valladolid y casi lindando con la provincia de Burgos, se encuentra la población de **Peñafiel,** capital de los dominios del infante Don Juan Manuel, que en el año 1307 la fortificó e hizo del castillo su residencia. De esta importante fortaleza, que ya existía en el siglo XI destacan su patio de armas y la torre del homenaje. Al oeste de la capital se localiza **Tordesillas** que fue centro de reunión de los partidarios de los Reyes Católicos en oposición a Juana la Beltraneja. Conserva unos baños árabes del primitivo Palacio Real que después de los de la Alhambra de Granada son los más completos de España. El convento de Santa Clara, en un principio palacio de Alfonso XI, es una notable obra de arte mudéjar.

La vieja ciudad castellana de **Burgos,** fundada en el 884 y cuna del Cid Campeador, está emplazada en la ladera de una colina. Fue el punto de confluencia de diferentes caminos medievales, hollados por miles de peregrinos que se dirigían a Santiago. Su monumento más notable es la catedral, Patrimonio de la Humanidad, que se yergue majestuosa en medio del casco urbano, en las márgenes del río Arlanzón. En el año 1221 se comenzó la construcción de este templo y aunque en el siglo XV estaba prácticamente acabado, se fueron introduciendo nuevas modificaciones hasta el siglo XIX. La catedral de Burgos destaca principalmente por su diseño, en el que el coro, de gran profundidad se encuentra emplazado antes del crucero del transepto. En su exterior destaca la fachada principal flanqueada por dos grandes torres adornadas de amplios ventanales enriquecida por numerosas esculturas, y rematadas por originales agujas caladas. En su interior brilla con luz propia la capilla del Condestable, uno de los ejemplos más representativos del gótico tardío castellano, colocada fuera de la planta de la catedral como si se tratara de un monumento separado de ésta. Su espectacular cimborrio es uno de los elementos más característicos y singulares de este conjunto catedralicio.

Las viejas iglesias parroquiales románicas fueron sustituidas en los siglos XIV y XV por templos que constituyen el importante grupo gótico burgalés, entre ellas la de San Esteban, la de San Lesmes, la de San Nicolás... En la arquitectura civil sobresale la denominada casa de Cordón o del Condestable, construida a partir del año 1482, y la casa de Miranda, edificada en 1545 con portada plateresca y patio de dos pisos. En los alrededores de la ciudad se encuentra el Hospital del Rey, fundado en el siglo XIII para atender a los peregrinos del Camino de Santiago. Cercano al hospital se localiza el monasterio de las Huelgas, monasterio de bernardas fundado en 1187. La cultura musical de este centro fue muy importante durante el siglo XIII y comienzos del XIV. En el otro extremo de la ciudad, aguas arribas del Arlanzón, está la cartuja de Miraflores, fundada por el rey Juan II en 1442.

El Camino de Santiago penetra en tierras de Burgos por **Redecilla del Camino,** que estuvo también dotada de un hospital para peregrinos. Conserva el trazado de la antigua ruta de la peregrinación en su Calle Mayor en cuyo centro se alza la iglesia Belorado. Las iglesias de Santa María y San Pedro conservan imágenes de Santiago representado como caminante y como guerrero. Tras atravesar **Villafranca de Montes de Oca** la ruta hace un alto en el monasterio de **San Juan de Ortega,** una hospedería fundada a finales del siglo XIII. De allí se llegaba a Burgos. De camino hacia la provincia de Palencia se pasa por **Castrojeriz.** A los pies del cerro que corona el castillo el pueblo traza la misma línea curva que seguían los peregrinos. En la antigua colegiata de Santa María del Manzano, edificada en el siglo XII en un sobrio estilo cisterciense, se conserva una bellísima talla medieval de la Virgen.

Otras poblaciones importantes de la región burgalesa son **Aranda de Duero,** con la iglesia de Santa María de principios del siglo XVI, uno de los monumentos más importantes del estilo isabelino; **Santo Domingo de Silos,** un monasterio cuyo claustro presidido por un bello ciprés es una pieza única de la arquitectura y escultura románicas; y **Lerma,** con su amplia colegiata de tres naves y el palacio de los duques de Lerma al que están unidos por pasajes cubiertos los conventos de San Blas, Santa Teresa y la Ascensión.

De origen celtibérico, la ciudad de **Soria** está bañada por el río Duero. Su principal riqueza la constituyen sus numerosos monumentos románicos. En el centro de la ciudad se encuentra la iglesia de San Juan de Rabanera, construida a finales del siglo XII, cuyo exterior posee un interesante ábside decorado con arquerías ciegas que albergan diferentes motivos en relieve. La iglesia de Santo Domingo, también de finales del siglo XII, posee en su fachada uno de los más hermosos e importantes conjuntos escultóricos del románico castellano. La catedral, del siglo XVI, conserva varios elementos románicos entre los que destacan la entrada a la sala capitular y el claustro. Otros monumentos de interés turístico son: San Juan del Duero, antiguo monasterio de los Templarios, la fachada plateresca de San Pedro y la ermita de la Soledad, con obras de la imaginería del Barroco.

De la arquitectura civil sobresalen el soberbio palacio de los condes de Gomera, de finales del siglo XVI, y numerosas casonas de los siglos XIV, XV y XVI. Inmortalizadas por los versos de Antonio Machado, ya fuera de la ciudad y a las orillas del Duero, están enclavadas dos excepcionales capillas: la románica de San Polo, que data del siglo XII y la barroca de San Saturio.

En el valle del Duero se encuentra la ciudad de **Almazán,** antigua plaza fuerte que mantiene todavía en pie parte de sus murallas y algunas de sus puertas. Junto a una interesante arquitectura popular con abundantes casas señoriales, destaca la iglesia románica de San Miguel, del siglo XII. **Berlanga de Duero** posee una bella colegiata y los restos de una muralla y un castillo del siglo XV que levanta sobre un cerro sus circulares torreones y la torre del homenaje. **Burgo de Osma,** sucesora de la antigua *Uxama* de los arévacos, conserva parte de su recinto amurallado del siglo XV. Alrededor de su catedral, que guarda numerosas obras de arte y en cuyo museo se encuentra el Códice del Beato del año 1086 *Comentarios al Apocalipsis*, ha crecido su población con el antiguo edificio de la Universidad, del siglo XVI, hoy convertido en Instituto Laboral, la Plaza Mayor, el Seminario, el Hospicio... Sus calles con soportales constituyen una muestra muy típica de la arquitectura popular.

ARAGÓN

La historia de las tierras de Aragón, como condado primero y como reino después, se remonta hasta el siglo IX. Su apogeo comenzó con Jaime I el Conquistador en el inicio de su expansión por el Mediterráneo. La Comunidad está formada ahora por tres provincias: Huesca, Zaragoza y Teruel.

Las fiestas más importantes de la región son las fiestas del Pilar de Zaragoza, en torno al 12 de octubre, festividad de la Virgen del Pilar, patrona de España. En ellas, la ofrenda de flores, en la que las mujeres visten sus trajes típicos de "mañas", es una de las ceremonias más populares. Durante las fiestas, la jota aragonesa, cantada y bailada, centra el folklore de esta efemérides. La jota aragonesa, que ha servido de base a las demás modalidades regionales, se baila a saltos y exige, además de una gran agilidad, un perfecto dominio de las castañuelas o pulgaretas. Bandurrias, guitarras y laúdes constituyen las piezas instrumentales básicas de este baile.

El carnaval en **Bielsa,** en la provincia de Huesca, se celebra con la aparición de las "tragas", mozos vestidos con camisas y faldas de llamativos colores, cuya cabeza y espalda aparecen cubiertas con pieles de cabra rematadas por una impresionante cornamenta, y "madamas", chicas solteras ataviadas con minifaldas y puntillas. El día 21 de abril tiene lugar en **Tauste** (Zaragoza) su lance. En **Castellote** (Teruel), los hombres salen en romería a la ermita del Llovedor según una tradición que se remonta a 1408, cuando doce mozos de la localidad se trasladaron a Zorita del Maestrazgo, en Castellón, para pedir a la Virgen de la Balma que les concediera lluvia. El día 25 de junio se celebra en **Yebra de Basa** (Huesca) la romería de Santa Orosia, con participación de danzantes y traslado del cráneo de la Santa.

En **Calatayud** (Zaragoza) el amanecer del día 16 de agosto, festividad de San Roque, es contemplado desde su ermita por una gran multitud que acude allí a oír misa. Ese mismo día, **Brochales** (Teruel) es escenario de una danza en la que sólo pueden participar aquéllos que han cumplido sesenta y cinco años. El 14 de septiembre se celebra en **Calatorao** (Zaragoza) una fiesta en honor del Cristo, al que se profesa una gran devoción. En ella se mezclan gigantes y cabezudos, rondallas, mozos danzantes, *caballez, furtaperas* y *caretas.*

Las carnes al "chilindrón" constituyen la base de la cocina aragonesa. El chilindrón es una salsa a base de pimiento, tomate y cebolla sofritos. En el Alto Aragón, en contacto con el Pirineo, son famosos los "espárragos montañeses", que no son vegetales sino rabos de ternera en cría. En la región zaragozana son muy populares las magras con tomate, hechas con lonchas finas de jamón ligeramente frito bañadas en salsa de tomate. Las migas con tropezones, con chocolate y con uvas son exquisitas en toda la región. Para paladares refinados se recomiendan las perdices con chocolate o la cabeza de cordero al horno. "Regañaos" se llama a unos bollos a los que se incrustan en la masa un par de arenques y unas tiras de pimiento rojo. Los vinos aragoneses son buenos y abundantes, destacando el fuerte Cariñena, que alcanza fácilmente los 18°. Entre los postres, las frutas escarchadas y forradas de chocolate y el guirlache, el turrón de estas tierras, son los más conocidos.

La ciudad de **Huesca** posee pocos vestigios de su época ibérica y romana. Su actual catedral fue edificada, tras la Reconquista, sobre la mezquita mayor árabe. Concluida en el año 1500, es de planta casi cuadrada con tres naves. Otros monumentos oscenses son las casas Climent y de los abades de Montearagón, de estilo renacentista lo mismo que el Ayuntamiento; la iglesia de San Pedro el Viejo, de la primera mitad del siglo XII, con sus bellísimas portadas románicas y su interesante claustro; y la antigua Universidad, que conserva elementos de un palacio románico del siglo XII.

Una de las entradas del Camino de Santiago desde Francia se hacía por el puerto de Somport, en el Pirineo oscense, y conducía a través de **Candanchú** y **Canfranc** a la ciudad de Jaca, una de las principales etapas del camino. **Jaca,** situada estratégicamente para las comunicaciones intrapirenaicas, pasó a ser en el 1035 la capital del incipiente reino aragonés. La villa tuvo el derecho de emisión de moneda y de teloneo, un impuesto indirecto que gravaba el tránsito y venta de mercancías. A las puertas de la ciudad aparece una magnífica fortaleza construida en el siglo XVI por encargo de Felipe II. En el interior del entramado urbano medieval se alza la catedral, obra maestra del románico español que fue concebida en el siglo XI como la obra más ambiciosa de su época. Destaca su portada principal, al fondo de un espacioso atrio, que presenta un magnífico crismón, el monograma de Cristo, flanqueado por dos leones y rodeado de inscripciones que explican al peregrino el significado de aquellas imágenes.

EL ORIGEN
de las plazas mayores hay
que encontrarlo en las ágo-
ras de la antigüedad, que
con la llegada de la Edad
Media se transforman en
centro administrativo y co-
mercial de cada núcleo ur-
bano. Pero este carácter ex-
clusivamente funcional de
la plaza de la villa alcanza,
con la llegada del Renaci-
miento, una nueva dimen-
sión: la estética. Pedraza, en
la segoviana comarca de La
Sierra, parece contener bajo
los soportales de su Plaza
Mayor todo el sabor de la
Edad Media castellana.
En la página anterior, una
vista de la catedral nueva de
Salamanca.

La PROVINCIA DE BURGOS, *tan elástica y fluctuante que hasta el siglo XVIII recogía gran parte de las de Segovia, Palencia, Logroño y Santander, y que hoy incluso, enquista su Condado de Treviño en plenas tierras alavesas, carece también, con su pluralidad geográfica, de cualquier síntesis territorial. Posee una frontera septentrional cuyas características encajan en las propias de la cordillera Cantábrica, y una meridional que, con campiñas y valles, van parcelando los numerosos ríos de la cuenca del Duero. Entre ambos extremos se extienden por igual los ricos llanos cerealistas de la comarca de la Bureba, a la que corresponde esta imagen, o pobres páramos calizos, gélidos y prácticamente deshabitados.*

*y el Clamores, sobre un ro-
quedal triangular, están los
naturales cimientos de la
ciudad de Segovia, la que
monopoliza su variada mo-
numentalidad con la genia-
lidad arquitectónica de su
acueducto romano. Su re-
cinto amurallado alberga
los céntricos barrios judíos;
ese gigantesco alcázar, tan
denso de historia como oscuro de orígenes, que clava
en el cielo sus agudos conos
de pizarras; el conjunto de
iglesias románicas de grandes atrios porticados y labradas torres; y la catedral,
de piedra dorada, comen-
zada a construir justamente
en 1525, en la España imperial, y de la que aquí vemos
su cara sur.*

Los altos de Cerler, por encima de Benasque y en el rincón nororiental del Pirineo aragonés, tan próximo a Francia como a la vecina provincia leridana, originan una de las áreas de más bella visión de la cordillera. Hacia el noreste aparecen las alturas de la Maladeta y el pico de Aneto (3.404 m); por el oeste el amplio macizo del Posets (3.375 m); por el noreste la cima del Perdiguero (3.297 m), y por el sur todas las cumbres de Gallinero, Cibollés..., siempre con cotas superiores a los 2.700 m, que durante varios meses al año se convierten en vastísimas superficies de blancura inacabable y homogénea, sólo matizada por el sombreado del duro relieve.

92

LAS TORRES DE SAN MARTÍN

*–en la fotografía de la derecha– y la de El Salvador, prácticamente gemelas,
fueron construidas en el año 1315, y según parece por el mismo artista. Aunque
la leyenda popular, con un bello toque de amor y romanticismo las haga nacer
de una rivalidad trágica y un sorprendente azar. Al fondo de la estrecha calle
queda esta exquisita muestra del mudéjar turolense.*

*Bajo estas líneas, una calle con soportales del pueblo de Mirabel, en la
provincia de Teruel, que mantiene la pureza de una arquitectura popular
mínimamente quebrada.*

LA CIUDAD
de Albarracín, en la sie-
rra del mismo nombre
de la provincia de Te-
ruel, es una de las esca-
sas joyas del pasado en
que una arquitectura
popular ha permaneci-
do prácticamente inalte-
rada a lo largo de los
siglos. Sus casas de pie-
dra grisáceas o de tonos
ocráceos, cubiertas por
tejados rojizos parecen
brotar de entre las rocas,
como enquistadas en
ellas, como nacidas con
la anarquía de lo que
espontáneamente crea y
produce la naturaleza.

EL GUADALOPE,
*que viene corriendo por las
ásperas sierras del Maes-
trazgo y baja decidido al
puerto de Villaluengo para
después discurrir entre las
serranías del Bordón y de
la Garrocha, hasta expan-
dirse por los campos de las
Planas y Dos Torres de Mer-
cader, entre suaves alcores
y albinas tierras de cereal,
se embalsa, azul y turque-
sa, entre los profundos paredones de Santolea, que
cerca y divide las aguas entre ocráceos murallones
calizos. Fantástica y bella
la ingente reserva de agua
entre las arideces de estos
montes ariscos.*

98

Tarazona, una de las más bellas ciudades de la provincia *de Zaragoza, posee la misma y enorme antigüedad del viejo Turiaso, aquel remoto pueblo celtibero, punto crucial en el paso del valle del Ebro a la Meseta, y por donde fluían los minerales de hierro, extraídos de las entrañas del Moncayo, que eran transportados para su transformación a las ferrerías del Somontano.*

Entre los monumentos que su larga historia ha ido dejando en la ciudad, es muy destacable el Ayuntamiento, de comienzos del siglo XVI. Fue primeramente Lonja de Contratación, hasta que a finales del siglo XVIII origina las Casas Consistoriales de la ciudad. Fantástica su artística fachada de piedra labrada, en tonos tostados, con galería alta ricamente soportalada y de profuso cincelado bajo el amplio tejaroz, posee en su altura media, formidables relieves con figuras de Hércules, Pierres y Caco, así como los escudos de Aragón.

E N LA PROVINCIA
de Huesca, en la comarca
del Gállego Medio, se alza el
extraño mundo de los ma-
llos, de esas gigantescas mo-
les de piedra rojiza que
siembran los suelos de re-
dondas catedrales como
brotadas de unas vulgares
tierras. Es el área compren-
dida entre Agüero, Murillo,
Riglos, Marcuello y Ayerbe,
que entra en la historia du-
rante el reinado del rey San-
cho el Mayor de Navarra,
que hacia la tercera década
del siglo XI conquistó y enri-
queció sus aldeas. En la
imagen, una vista de los Ma-
yos de Riglos, levantando
tras el pueblo sus inmensos
volúmenes de tierra roja,
donde habitan numerosas
colonias de buitres, córvidos
y diversas especies de aves
rapaces.

102

EL TEMPLO
*de la Sagrada Familia,
a la derecha, no puede
dejar de ser reconocido
como la obra máxima,
aunque inconclusa, de
la original arquitectu-
ra gaudiana. Sus torres
etéreas, exentas de ma-
cicez, son expresiones
de una espiritualidad
que parece adentrar el
gótico de la antigua ar-
quitectura religiosa en
un mundo imaginativo
de genial fantasía.
Bajo estas líneas, un
rincón de columnas
en la sublime locura
del parque Güell, en
Barcelona.*

Poco queda
*del Cadaqués humano, de
aquél que mimaba vides en
los bancales y extraía de oli-
vos raquíticos uno de los mejores aceites de España. Pero
frente a la mano que hoy
maltrata al pasado, esta bahía templada, de aguas ter-
sas y atardeceres granates,
sigue con su rada tranquila
de veleros, su hato de botes
cubriendo la concha de su
orilla y su rebujo blanco de
casas porticadas.*

En una de las más
*bellas acanaladuras
del Pirineo leridano,
sube la esbelta torre de
San Clemente de Tahull,
de 1123, joya destaca-
da dentro del románico
catalán.
Bajo estas líneas, un rincón de la villa medieval
de Pals, en la provincia
de Girona.*

108

LA ANTIGUA SALA CAPITULAR

del celebérrimo Consejo de Ciento, creado en el siglo XIII por Jaime I El Conquistador, es la más bella, grandiosa e históricamente representativa de la vieja Cataluña de cuantas encierra y enriquecen el magnífico Ayuntamiento de Barcelona.

¡CUANTOS ESFUERZOS
y sudores han sido precisos
para modernizar el estadio
olímpico de Montjuich! Sin
embargo, cualquier antolo-
gía arquitectónica recogerá
unánimemente el fruto pé-
treo de tan afortunada labor,
símbolo de la paz univer-
sal y de la libre competición
fraternal.

112

DOMINANDO LA CIUDAD
y esas llanadas que avenan el
Ter y el Oñar, queda empla-
zado el conjunto arquitectó-
nico de la catedral de Girona.
La conjunción de estilos ni
desarmoniza ni resta valores
estéticos a cada una de sus
fracciones; es sólo la conse-
cuencia obligada de estas
obras gigantescas levantadas
a lo largo de muchas genera-
ciones y distintas corrientes
culturales.

114

Alcanzando

Palma de Mallorca desde el aire, viniendo de las paradisíacas aguas de Cabrera, se alza el cabo Blanco –casi tan blanco realmente como las albinas costas de Dover– con sus casi 100 metros sobre el azul profundo. A la derecha nos ha quedado Cala Pi, aguda y mínima ensenada cubierta de aguas turquesas o esmeraldas y hospedando a su reducido cupo de yates. Cala Pi, esta escisión profunda en la costa sur mallorquina, es la última cala meridional antes de doblar el cabo y entrar en la anchurosa bahía de Palma.

116

La primitiva cartuja de Valldemossa,

hoy conocida como palacio del Rey Sancho para diferenciarla de la que en 1737 construyó Mezquida y albergó al romántico autor de las polonesas, data de comienzos del siglo XIV. De una celda de excepción salieron muchos versos del nicaragüense universal; y más huésped de los monjes de San Bruno que prisionero oficial, Jovellanos vivió allí confinado antes de su traslado al castillo de Bellver. Hoy, el palacio del Rey Sancho, propiedad particular de D. José Mª Bauzá de Mirabó se visita como otro rincón de la histórica Cartuja. Entre ambas quedaron para la historia los versos de Rubén Darío, el destierro del político asturiano, el genio chopiniano o la prosa de George Sand.

118

LAS CASAS MENORQUINAS SON LAS MÁS AUTÉNTICAS
y mediterráneas del archipiélago balear, de las que Mallorca se abstiene casi por
completo con sus casas de piedras ocráceas. A la derecha, bella finca enjalbegada
a la antigua, en las afueras de Alayor. Bajo estas líneas, patio de una casa
labriega de Torre d'En Quart, con todo su sabor añejo.

NACIDOS DE ESTAS
tierras generosas son estos
sangrientos pimientos que
van cediendo su agua al sol;
redondeadas ñoras que van
muriendo entre el escarlata
y el púrpura para acabar
trituradas y convertidas en
el valioso pimentón de toda
esta zona levantina. Son
también valencianas esas
gigantescas calabazas que
acaban en los obradores de
confitería y que reciben
curiosos nombres según su
procedencia.

122

Primero los barcos de pesca, de pesca industrial. Los de cerco y los arrastreros. Luego asoman los delgados mástiles de las embarcaciones deportivas, las antenas de los poderosos yates para el recreo y la pesca de altura, los airosos veleros, los catamaranes... Tras ellos, aún sin verse, queda Altea, la madre y nodriza de estos puertos, la alicantina moruna y marinera. Y como telón de fondo, los severos picos y las cumbres oscuras de Aitana.

En las páginas anteriores, dos imágenes, de fuego y belleza, de las internacionalmente famosas Fallas valencianas.

126

A PARTE DE CUANTO
ha venido representando para
el pueblo madrileño, desde
que en 1781 Roberto Michel y
Francisco Gutiérrez levanta-
ran el grupo escultórico que
ocupa la plaza, esta mítica es-
posa de Saturno, arrancada
de su olímpica deidad y trans-
portada a la blanca piedra
traída de Montes Claros, al-
canza distinta, cálida y mun-
dana realidad. Porque Cibeles
es ahora la diosa de Madrid,
símbolo definitivo de la capital
de España que pasea triunfal
por el mundo en su carro de
leones castellanos.

LA IGLESIA CONVENTUAL
de las Descalzas Reales, que
con su exterior renacentista
da nombre a una de las plazas más antiguas de Ma-
drid, alberga en su interior
toda la riqueza y el simbolis-
mo de una época (s. XVI) en
que la fe y la piedad cristianas eran hermanas mayo-
res e inseparables de la reale-
za. El monasterio debe su
fundación a la princesa
Juana de Austria, hermana
de Felipe II, y desde sus comienzos fue destinado a las
profesas de sangre real. Su
riqueza artística y los víncu-
los terrenos de reyes y reinas
con estos recintos sagrados
son obvios, y de las obras de
arte acumuladas durante
siglos hablan explícitamente
sus salas, techos y paredes.
Coello, Tiziano, Rubens,
Morales...; pintores, imagineros y orfebres han ido dejando su arte imperecedero
en los muros y los espacios
de estos recintos tan sagrados
como reales.

130

FRENTE A LA GEOMÉTRICA Y CUIDADA ORDENACIÓN DE LOS SETOS
y fuentes, de las que son exponentes máximos las bellas superficies ajardinadas
del refinado Versalles, están esos otros parques en los que la Naturaleza parece
vivir más a gusto en su libertad de expansión laxamente controlada. Aquélla es
una vegetación prisionera, amarrada, sólo materia prima para modelar el arte;
aquí es la Naturaleza misma la que muestra su intrínseca belleza. El Retiro
madrileño posee, sin duda, sus rincones versallescos, pero en su mayor parte, el
boscaje goza del mismo y frívolo capricho que sobre él viven las aves. En la
imagen, el Palacio de Cristal y su lago en una mañana de otoño.

132

Saliendo de Jaca en dirección a Pamplona el Camino pasa por **Santa Cruz de la Serós**, con la pequeña iglesia de San Caprasio, un hermético edificio del románico más primitivo. Desde esta población se sube hasta San Juan de la Peña, ascendiendo por un valle de imponentes paredones. El monasterio está incrustado en una enorme roca y su iglesia y su claustro son dos magníficos ejemplos de la arquitectura medieval. El Camino abandona las tierras aragonesas por el pueblo medieval de **Berdún.**

En el Pirineo oscense se encuentra el Parque Nacional de Ordesa y Monte Perdido que se extiende sobre 15.608 hectáreas. Comprende el macizo del Monte Perdido y cuatro espectaculares valles. El valle de Ordesa está atravesado por el río Arazas, de aguas frías y turbulentas cuyo recorrido se encuentra salpicado por numerosas cascadas. Por el impresionante valle y cañón de Añisclo, caracterizado por la grandiosidad de sus precipicios, transcurre el río Aso. El valle de Tella centra su atractivo en las fantásticas gargantas de Escuaín, que encierra al río Yago. El valle de Pineta, denominado por su hermosura "la vía Apia del Monte Perdido" se encuentra recorrido por el río Cinca. En el valle de Ordesa se localiza la última población que queda en el mundo de la subespecie pirenaica de cabra montés.

Muy cerca del parque se encuentra **Ainsa,** pequeño pueblo con una bellísima Plaza Mayor de estructura románica y abundantes elementos góticos. Un castillo en ruinas y una iglesia románica del siglo XII con cripta y un pequeño claustro completan su conjunto monumental. La ciudad de **Barbastro** posee también una interesante Plaza Mayor porticada y la sede del Ayuntamiento es un edificio mudéjar del siglo XV. La catedral, de estilo renacentista, fue concluida en 1553. **Monzón** conserva un importante castillo del siglo XII y la iglesia románica de Santa María transformada en el siglo XVII.

En la ciudad de **Zaragoza,** atravesada por el río Ebro, el edificio principal es la basílica de Nuestra Señora del Pilar. Una tradición, documentada a finales del siglo XIII, afirmaba la aparición de la Virgen María sobre un pilar al apóstol Santiago cuando éste se encontraba en Zaragoza. En este centro mariano con frescos de los hermanos Valleu y Francisco de Goya, se encuentra la rica capilla de la Virgen.

De su período romano se conservan dos fragmentos de la muralla del siglo II de nuestra era. De la *Sarakuska* musulmana destaca la Aljafería, un palacio árabe construido en la segunda mitad del siglo XI. De este suntuoso alcázar permanece en pie una gran torre cuadrada conocida popularmente como la Prisión del Trovador y la pequeña mezquita de planta poligonal, ricamente decorada, con el *mihrab* orientado hacia el sur. Pero los monumentos cristianos son los más abundantes. La Seo o catedral, de cinco naves es una espléndida muestra del gótico en Aragón. El mudéjar está representado por varias iglesias como las de San Pablo, San Gil y la Magdalena, todas del siglo XIV. La obra barroca más interesante es la iglesia del seminario de San Carlos, del siglo XVII.

Entre los numerosos edificios civiles se encuentra la Lonja, construida a mitad del siglo XVI, de un sobrio estilo renacentista. La Real Maestranza, de estilo plateresco, posee unos ricos artesonados mudéjares. Los palacios del conde de Sástago, del duque de Vallehermosa y el de los Mollanes son de estilo renacentista. La actual Audiencia, antiguo palacio de los Luna, muestra en el piso superior la típica galería aragonesa de ventanas abiertas bajo un alero de madera tallada.

A pocos kilómetros de **Calatayud**, situada en el suroeste de la provincia zaragozana, en el cerro de Bámbola se hallaba la *Bilbilis* celtibérica de la que aún se conservan ruinas. Quedan en pie algunas de sus fortificaciones medievales y en el casco urbano existen numerosas iglesias mudéjares como las de Santa María, San Pedro de Francos y San Andrés. Casi al otro extremo, en el sureste provincial, se localiza la ciudad de **Caspe** con su Plaza Mayor casi circular, con interesantes soportales de arcos apuntados. La villa de **Tarazona,** al oeste de la provincia, aislada de las principales vías de comunicación, posee restos de su recinto amurallado y unas calles medievales tortuosas sobre las que se alza su catedral gótica consagrada en el año 1235. Al noreste de Zaragoza se encuentra **Egea de los Caballeros** con la iglesia románica de El Salvador y la iglesia de Santa María con aspecto de fortaleza y portada románica.

En el sur se localiza **Daroca,** rodeada por una muralla de más de cuatro kilómetros de longitud, reforzada por 114 torres y en las que se abren dos puertas bien conservadas. Las iglesias de San Miguel y de San Juan son románicas y la colegiata del siglo XVI posee la capilla de los Corporales, cuyo retablo de alabastro es una excelente muestra de la escultura del siglo XV.

La ciudad de **Teruel,** enclavada en una terraza rocosa sobre el cauce del río Turia, fue conquistada por los árabes en el siglo VIII, y reconquistada en el año 1171 por Alfonso II el Casto, rey de Aragón. A partir de esa fecha se convirtió en una cabeza de puente para la reconquista del levante peninsular. La población árabe de la ciudad desarrolló, desde finales del siglo XII hasta el siglo XV, una intensa actividad constructora a base de ladrillo en un estilo muy peculiar, síntesis del arte árabe y cristiano, que se denominó mudéjar.

La catedral gótico-mudéjar, de tres naves, posee una capilla mayor de planta poligonal y una girola de planta rectangular. Su magnífica torre de ladrillo, de planta cuadrada, construida en el año 1275, está rícamente decorada. El bello artesonado que cubre el techo de su nave central data del siglo XIV y es considerado como la joya del arte mudéjar turolense. Las diferentes torres mudéjares imprimen carácter a Teruel. La de la iglesia de San Pedro es anterior al año 1258 y junto a ella se encuentran en una dependencia los sepulcros de "los amantes de Teruel". Las otras dos torres principales son las de El Salvador y la de San Martín. Este importante conjunto mudéjar ha sido declarado Patrimonio de la Humanidad.

Al noreste de la provincia se encuentra **Alcañiz,** población donada por los monarcas aragoneses a la Orden de Calatrava. El castillo conserva la torre del homenaje, la capilla románica y pinturas murales del siglo XIV. El Ayuntamiento renacentista junto con el porche gótico de la Lonja y la reedificada colegiata, que conserva el antiguo campanario gótico, son sus monumentos más significativos. Al suroeste, enclavada en la sierra del mismo nombre, se encuentra **Albarracín** que fue cabeza de un pequeño reino musulmán que subsistió hasta finales del siglo XII. Emplazada en una atalaya, se halla rodeada de un recinto amurallado medieval. Junto a numerosas mansiones señoriales del siglo XVI destacan la iglesia de Santa María y la catedral, reformada en el siglo XVI.

CATALUÑA

Situada en el noreste de la Península Ibérica, arropada por los Pirineos y bañada por las templadas aguas del mar Mediterráneo, la actual Cataluña hunde sus raíces históricas en el Condado de Barcelona ya desde el siglo IX y, posteriormente, en la Corona de Aragón. Con una lengua propia, el catalán, y presentando un extenso bagaje cultural, esta región española ha destacado siempre por su gran dinamismo y actividad comercial.

La personalidad catalana queda patente en su folklore. La danza tradicional es la sardana, que los bailarines, unidos por las manos, bailan en forma de círculo. Una de las manifestaciones populares que despiertan la admiración de todos es la conocida como *els castellers* o *xiquets de Valls,* torres humanas de varios pisos, que alcanzan alturas inverosímiles con el *anxaneta,* un niño que trepa hasta lo más alto de la torre.

Las representaciones plásticas de la Navidad están muy extendidas en toda la región catalana, en donde reciben el nombre de *pessebres* o *pastorets*. Uno de los *pessebres* más populares es el de **Corbera de Llobregat** en la provincia de Barcelona. En **Centelles,** también en la provincia de Barcelona, el 30 de diciembre se celebra la *Festa del Pí* en honor de Santa Coloma, que murió mártir, quemada con leña de pino. Al amanecer, *els galejadors* o *trabucaires* atruenan todo el pueblo, y la gente se traslada al monte para cortar un pino que será el centro de las celebraciones. El árbol se iza en la plaza, donde se le hace bailar, para después llevarlo al interior de la iglesia. Allí, puesto boca abajo, se adorna su copa con obleas y cinco ramos de manzanas. El día de Reyes se reparten sus ramas entre la población.

El día de Pascua es tradicional escuchar en Cataluña el canto de *caramelles,* composiciones musicales propias de esta festividad religiosa que se interpretan por las calles mientras se recogen en una cesta todo tipo de viandas. También la Pascua de Pentecostés es de gran importancia en la región catalana, donde se celebran numerosos *aplecs* o romerías y una interesante *Festa major* en **San Feliu de Pallerols**, en la provincia de Girona. En la fiesta del *Corpus Christi* se celebra en **Berga** (Barcelona) "La Patum", una de las representaciones populares más conocidas de Cataluña en la que toman parte *turcs* y *cavallets,* cuyas luchas reproducen los enfrentamientos entre moros y cristianos, los *diables,* que lanzan fuego en forma de petardos y cohetes, la *mulafera,* una especie de monstruo de grandes dimensiones cuya boca vomita fuego, y *l'áliga* (el águila) coronada, que representa el poder real y la liberación de la villa por los señores feudales.

La víspera de Santiago sale en **Lleida** *els fanalets de Sant Jaume,* que rememora una vieja leyenda según la cual, Santiago, cuando pisó por primera vez tierra española, se clavó una espina en un pie y hubo que quitársela a la luz de un farol sostenido por un ángel. El 30 de agosto comienza en **Villafranca del Penedés** (Barcelona) la *Festa Major de San*

Félix, considerada como una de las más típicas de Cataluña. Las mejores *colles de castellers* actúan en la plaza, lo mismo que los *diables, gegants i caps grossos, drac, l'aliga* y *grallers i doçainers.*

Desde el punto de vista gastronómico los cavas catalanes, muchos de ellos elaborados artesanalmente, están hoy considerados como uno de los mejores vinos espumosos del mundo. Son excelentes sus platos marineros, como el famoso *suquet,* una caldera marinera que se rocía con una típica salsa, o la zarzuela de pescado.

En Girona es particularmente famoso el pavo de Navidad, relleno de salchichas, butifarras, pasas y piñones. En Barcelona la *escudella i carn d'olla* es la versión catalana del cocido, que tiene dos vuelcos: una sopa de fideos finos y arroz y la carne con las verduras. En Lleida tiene fama la *cassolada,* un guiso de patatas y verduras con tocino y costillas, y en Tarragona los populares arroces entre los que destaca el "arroz a banda". Los embutidos, muy variados y de gran calidad, con la conocida butifarra como protagonista por excelencia, son habituales en la cocina de Cataluña. A la cabeza está, sobresaliendo por su sencillez, el plato más típico de la región, el pan con tomate, que se prepara rociando el pan con aceite, tomate y sal. La repostería es variadísima y cada sitio tiene sus postres característicos, entre los que destaca la "crema catalana", una especie de natillas cubiertas con una capa de caramelo. No hay que olvidar las famosas "monas" de Pascua que adornan las pastelerías durante Semana Santa y Pascua de Resurrección, algunas de ellas auténticas obras de arte de los reposteros.

Barcelona es la segunda ciudad en tamaño de España. Con una clara vocación europea, esta dinámica urbe mediterránea acoge en su entorno una importante red de núcleos industriales. Teniendo como punto de referencia su famoso (recientemente incendiado) Liceo, una gran variedad de actos culturales llenan todos los meses del año. El centro de la ciudad vieja, el famoso Barrio Gótico, se sitúa en la conocida plaza de San Jaime, enmarcada por los palacios góticos de la Generalitat y del Ayuntamiento. Las Ramblas, que conducen desde la Plaza de Cataluña hasta el importante puerto de Barcelona, son las vías más populares y festivas de la ciudad, con sus quioscos de libros y revistas, sus floristerías y sus tiendas de pájaros.

Bajo la atenta mirada de las montañas de Montjuïc, con su recinto ferial, y del Tibidabo, con sus concurridas atracciones, ha crecido una ciudad moderna en la que brillan con luz propia las obras de Gaudí, el genial arquitecto y escultor catalán, algunas de cuyas realizaciones singulares, como la Casa Milá y el Parque y el Palacio Güell han sido declaradas Patrimonio de la Humanidad. De todo su buen hacer lo más espectacular es la iglesia de la Sagrada Familia, su gran obra inconclusa, íntimamente unida al paisaje de la capital de Cataluña. Ciudad Olímpica en 1992, Barcelona ha adaptado su infraestructura, lo que la ha convertido en una de las principales ciudades mediterráneas.

En el interior de la provincia de Barcelona se localiza el monasterio de Santa María de Montserrat, enclavado en un espectacular macizo del mismo nombre, cuyos orígenes se remontan al siglo XI. La imagen de Nuestra Señora de Montserrat, patrona de Cataluña, de madera policromada, es una talla románica de finales del siglo XII. La actual basílica data de la segunda mitad del siglo XVI y su renombrada escolanía fue instaurada ya en el siglo XIII. **Sabadell,** la antigua *Arrahona* ibérica, es un importante núcleo industrial que destaca por la producción textil, lo mismo que sucede en **Tarrasa,** también de origen ibero, y que posee además tres iglesias prerrománicas, las de Santa María, San Miguel y San Pedro. Otra ciudad que sobresale por su gran capacidad industrial es **Manresa,** que recuerda su importante etapa medieval en los restos que aún quedan de sus murallas y el entramado de su casco antiguo. En la costa, denominada Costa Dorada, existen importantes centros turísticos como **Calella, Arenys de Mar, Masnou, Sitges, Villanueva y Geltrú...**

La Costa Brava se extiende desde el pueblo de Blanes hasta la frontera con Francia, comprendiendo todo el litoral de la provincia de Girona. Bajo un clima suave y templado se suceden los escarpados y rocosos acantilados, a los que llegan los pinos y alcornoques intercalados con pequeñas calas de arenas muy finas y aguas cristalinas, formando un conjunto paisajístico de gran belleza. Numerosos enclaves turísticos como **Lloret de Mar, Tossa de Mar, San Feliú de Guixols, Palamós, Cadaqués...** se suceden ininterrumpidamente a lo largo de esta costa mediterránea.

En **Girona,** capital de la región, todavía puede verse alguno de los torreones defensivos de su primitiva muralla romana, que se encuentran empotrados en la más reciente muralla medieval. El barrio antiguo está dominado por la majestuosa catedral de estilo gótico, con vistosa fachada barroca, a la que se accede por una gigantesca escalinata construida en el siglo XVII. **Figueras,** capital del Ampurdán, es la cuna de Salvador Dalí y en ella se encuentra el museo del genial pintor catalán con muchas de sus mejores obras. **Ampurias,** situada en la costa, es una antigua ciudad greco-romana que conserva magníficos vestigios clásicos.

El Pirineo, con toda su grandiosidad y espectacularidad, es lo que más caracteriza a la provincia leridana. Numerosas estaciones de esquí como las de Baqueira y Tuca, en el Valle de Arán, salpican el agreste y bello paisaje. En el Pirineo leridano se encuentra enclavado el Parque de Aigües Tortes y Lago San Mauricio, un área protegida de alta montaña con bellísimos lagos de origen glaciar y espectaculares circos, muchos de ellos suspendidos sobre un valle. Son famosos el lago San Mauricio y el impresionante macizo Els Encantats, que se yergue de improviso sobre el valle hasta alcanzar sus 2.747 metros de altitud. Todo el parque es como un museo natural al aire libre en el que se puede observar la intensa acción de los períodos glaciares del Cuaternario sobre la vieja mole del Pirineo.

Este espectacular paisaje de alta montaña se armoniza con importantes manifestaciones del románico catalán como son el monumental monasterio de Santa María de **Gerri,** cuya consagración se remonta al año 1149, y las iglesias de **Esterri de Aneu** y **Ribera de Cardós,** así como el monasterio de Lavaix, cerca de **Pont de Suert.** En el valle de Bohí, las construcciones románicas de **Erill-la-Vall, Bohí** y **Tahull** constituyen el más famoso e interesante conjunto arquitectónico de todo el Pirineo leridano.

La ciudad de **Lleida**, sobre la margen derecha del río Segre, se escalona sobre una abrupta pendiente que culmina en esta grandiosa ciudadela, en cuyo centro se yergue la Seo o catedral, levantada entre los siglos XII al XV. El Ayuntamiento, conocido como Palacio de La Pahería, es una construcción del siglo XIII. Más modernos son el Antiguo Hospital de Santa María, grandioso monumento gótico de los siglos XV y XVI, y la Catedral Nueva, que constituye la primera manifestación neoclásica de Cataluña.

La Costa Dorada, caracterizada por sus largas y abiertas playas, comienza en **Calella,** en la provincia de Barcelona, y ocupa todo el litoral tarraconense. **Calafell, Torredembarra, Salou, Cambrils, San Carlos de la Rápita...** son algunos de sus centros turísticos más importantes. En su extremo sur se localiza el Delta del Ebro, una amplia llanura de más de 500 kilómetros cuadrados de superficie que avanza en abanico hacia el mar. Tierra de arrozales, con una riqueza ornitológica y piscícola excepcional, ha sido declarada parque natural para proteger los recursos naturales renovables de sus miles de brazos y canales y de sus numerosas lagunas.

Tarragona, la antigua *Tarraco* romana, se extiende sobre una colina de setenta metros de altitud que se asoma al mar. De su clima atemperado ha dejado constancia Marcial, el poeta de *Bilbilis,* en el siglo I, cuando aconsejaba a su amigo Liciano que se trasladase... "al soleado litoral de Tarragona cuando el blanco diciembre y el invierno desenfrenado aúllan con el ronco aquilón". En la parte alta de la ciudad se conserva casi un kilómetro de murallas romanas con basamento megalítico, dos puertas también megalíticas y las torres de San Magín, del Cabiscol y del Arzobispo. Otros restos monumentales romanos que pueden verse son el Pretorio, el Foso, el Anfiteatro y las bóvedas del Circo. En Tarragona se localizan también monumentos cristianos de gran valor como la grandiosa catedral de planta medieval o la iglesia de Santa Tecla, del siglo XIII.

A cuatro kilómetros de la ciudad permanece perfectamente conservado el Puente del Diablo, un acueducto de doble arquería con una longitud de 217 metros que data posiblemente de la época de Trajano. Sobre la Vía Augusta, a 20 kilómetros de Tarragona, se alza el Arco de Bará, del siglo II, formado por dos bloques macizos de piedra de sillería unidos por un arco semicircular. A 30 kilómetros de la capital, en la orilla del río Gayá, se levanta el monasterio cisterciense de **Santes Creus**, construido entre los siglos XII y XIV. Más hacia el interior se localiza el monasterio de Santa María de **Poblet,** grandioso conjunto monumental de los siglos XII y XIII que fue el panteón de los reyes de Aragón, hoy declarado Patrimonio de la Humanidad.

El Archipiélago Balear

Situado en aguas mediterráneas, frente al litoral levantino, el archipiélago de las islas Baleares está formado por cinco islas principales, Mallorca, Menorca, Ibiza, Formentera y Cabrera, que se han convertido en uno de los centros turísticos más importantes de Europa gracias a su clima atemperado, a la belleza de su mar y de sus paisajes interiores y a las comodidades que les proporciona una cuidada infraestructura hotelera.

Desde el siglo XIII antes de nuestra Era hasta la llegada de los romanos, Mallorca estuvo ocupada por una cultura conocida como la "Talayótica", caracterizada por poblados protegidos por murallas y torreones (talayots), y dotados de enterramientos monumentales (navetas). Pocas huellas quedan de las dominaciones romana e islámica, aunque de esta última todavía se conservan los sistemas de riego que trajeron consigo los colonos árabes. Mallorca se incorporó a los dominios de

Jaime I el Conquistador en 1229, y Menorca lo haría dos años después. Desde entonces este archipiélago permaneció unido histórica y políticamente a la Península, a excepción de un pequeño paréntesis durante los siglos XIII y XIV en que se independizó como Reino de Mallorca.

En el folklore popular destaca el elegante bolero, así como otras danzas de carácter claramente ritual como son el *ball de cossier* –que data del siglo XV y que es interpretado por cuatro hombres, uno en el papel de demonio y otro en el de dama, en torno al catafalco que contiene una imagen yacente de la Virgen–, o los *cavallets,* danzas en grupo en las que los bailarines llevan en torno a la cintura una estructura de cartón que representa una cabalgadura.

Además de numerosas romerías, en Mallorca se celebra el 24 de junio la *revetlá,* con hogueras y bailes tradicionales. Durante el mes de mayo tienen lugar las fiestas de moros y cristianos en **Sóller** y más tarde, el dos de agosto, en **Pollensa.** En Menorca los festejos populares de San Juan en **Ciudadela** se caracterizan por sus torneos y juegos de equitación de claras reminiscencias medievales.

El vidrio fabricado desde el siglo XIV se sigue elaborando en Mallorca con los métodos artesanales de antaño. La alfarería está también muy presente en todos los lugares de tradición campesina. De ella destaca el sencillo *siurell,* un silbato de tierra cocida blanqueada al que se le dan diversas formas. Este antiguo juguete campesino se decora con pinceladas de vivos colores.

En el aspecto gastronómico es la "ensaimada", elaborada con manteca de cerdo, su producto más popular. Los embutidos de cerdo, la harina de trigo y las hortalizas son la base de sustanciosos platos entre los que no faltan las "sopas mallorquinas". La "sobrasada", el "butifarró" y la "llonganisa" son de excelente calidad. Con verduras se elabora "el tumbet", una especie de pastel en el que se distribuye una capa de patatas y otra de berenjenas previamente sofritas, que se recubren con una salsa de tomate y pimientos para que hierva un poco. Las *galletas d'oil* de Inca, secas y ligeramente saladas son sabrosísimas y en repostería los "suspiros" de Manacor se encuentran entre los postres favoritos.

La ciudad de **Palma,** en la isla de Mallorca, es la capital del archipiélago. Conserva importantes monumentos entre los que destacan el castillo de Bellver, del siglo XIV, edificio singular por su planta redonda; la Seo o catedral de estilo gótico; la Almudaina, palacio habitado por los primeros reyes de Mallorca y la antigua Lonja de Comercio, hoy Museo Provincial de Bellas Artes, que constituye una de las mejores muestras del gótico civil del área mediterránea.

La isla ofrece una amplia gama de posibilidades al visitante. Destaca la belleza del paisaje montañoso de la sierra de Tramontana, que se alza a pocos metros del mar y en la que es obligado visitar la cartuja de **Valldemosa,** en la que buscaron soledad e inspiración Federico Chopin y la escritora francesa George Sand. Siguiendo el litoral norte de la isla se llega a **Pollensa,** con su bellísima bahía y su famosa escalinata escoltada por cipreses que conduce al monumento del Calvario; a la **Alcudia,** ciudad medieval amurallada, con sus viejas casas señoriales de los siglos XVI y XVII y muy cerca de la cual se encuentra el yacimiento arqueológico de lo que fue *Pollentia,* una ciudad romana del siglo II antes de nuestra Era, y a **Artá,** situada en la península del mismo nombre, con la vieja fortaleza de la Almudaina. El yacimiento arqueológico de Ses Paisses, junto al casco urbano, nos descubre nuevos datos sobre la cultura talayótica.

La costa oriental muestra otro aspecto de la isla con sus playas, calas y cuevas decoradas con pinturas. En este litoral se localiza la cueva de Artá, abierta en los acantilados del cabo Vermell junto a la playa de Cañamel, adornada con numerosas calas espectaculares. En las proximidades de **Porto Cristo,** uno de los fondeaderos más antiguos de Mallorca, en el que se ha encontrado una nave romana naufragada muy cerca de tierra firme, se localizan las famosas cuevas del Drach, una de cuyas principales atracciones es un enorme lago de aguas cristalinas, el lago Martel.

La ciudad de **Manacor,** ya en el interior de la isla, agrupó en el siglo XVII a los mejores artesanos de la madera y todavía sigue produciendo el sólido mueble mallorquín. Hoy, gran parte de sus habitantes dependen de la producción de perlas Majórica. Otras ciudades importantes, también del interior, son: **Alaró,** con las ruinas de su castillo, **Inca,** con la iglesia de Santa María la Mayor, de origen gótico y añadidos barrocos, con sus hermosas fachadas de viejas casas payesas, **Petra,** en la que se encuentra la casa natal de Fray Junípero Serra, fundador de numerosas misiones de California, y **Llucmayor,** con el convento de San Buenaventura del siglo XVII.

La isla de Menorca es la segunda en importancia del archipiélago y la más distante del litoral peninsular español. Su relieve es muy poco accidentado ya que el punto más alto de su orografía es el monte Toro, de 388 metros de altitud, en el que se alza un santuario dedicado a la patrona de la isla. Menorca pasó, por el Tratado de Utrecht, a manos inglesas, con intervalos de ocupación francesa, hasta que en 1802 el Tratado de Amiens la restituyó definitivamente a España.

Importantes restos de la cultura talayótica se hallan en el suelo menorquín. El poblado de Trejuncó, a dos kilómetros de **Mahón,** la capital, es el vestigio más importante, con un *talayot* y una taula en muy buen estado. **Ciudadela,** en la costa oeste, fue capital de la isla durante la dominación árabe y en ella se encuentra la naveta de Tudons, el mayor y mejor conservado monumento megalítico de la isla. En esta pequeña ciudad se encuentran espléndidos palacios e iglesias medievales.

Ibiza y Formentera son las dos islas situadas más al sur del archipiélago balear. Los griegos las denominaron "Pitiusas" o Islas de los Pinos. Entre la primera, con 572 km² de superficie, y la segunda, con apenas 80 km², existen una serie de islotes. Ibiza se ha convertido en el centro de un turismo internacional con su famosa moda *ad lib* (a tu gusto). En **Ibiza** capital se conservan las murallas del siglo XVI. Célebre por sus barrios populares, cuyo estilo se ha denominado "arquitectura ibicenca", la ciudad está dominada por una fortaleza medieval y en sus inmediaciones se halla el cementerio púnico de Puig de Molins. Las inigualables playas y calas de Ibiza y Formentera se han convertido en un paraíso para los aficionados al mar y a los deportes náuticos.

Por último, y situados frente a la costa meridional de Mallorca, los 17 islotes que forman el archipiélago de Cabrera constituyen un enclave marino excepcional, y han sido nombrados el primer parque nacional terrestre-marino de España. Cerca del puerto de Cabrera se alza un castillo del siglo XIV que fue un refugio de piratas.

El Levante

Al sur de Cataluña se extiende la Comunidad Valenciana, en la que destacan sus bellas playas y sus plantaciones de naranjos que se pierden en el infinito. En esta región se conjugan de manera armoniosa una clara vocación mediterránea con una histórica herencia hispanoárabe, fruto de la dilatada presencia musulmana en estas tierras. Esta zona experimentó una intensa actividad a todos los niveles durante la dominación romana en nuestro país; precisamente, la puesta en marcha de los regadíos litorales valencianos fue realizada por los ingenieros de Roma.

A principios del siglo X los musulmanes se establecieron en el levante español, poniendo de nuevo en auge los regadíos iniciados por los romanos e importando nuevos cultivos, entre ellos el naranjo y la morera. Los árabes introdujeron también la industria del papel y en Játiva estuvo funcionando una de las primeras fábricas de papel de Europa. Durante los últimos tiempos del Califato se independizaron de Córdoba, formando la Taifa de Valencia. Antes de que Valencia cayera definitivamente en manos de Jaime I en 1238, pasando a constituirse el Reino de Valencia, uno de los reinos autónomos de la Corona de Aragón, no hay que olvidar que el famoso Cid Campeador conquistó la ciudad en 1094.

La fiesta por antonomasia de la región valenciana son las Fallas, que se celebran durante la semana del 12 al 19 de marzo en **Valencia** capital y que tienen su origen en una vieja costumbre establecida en el siglo XIII por el gremio de carpinteros, quienes quemaban lo inservible que se había acumulado en el taller durante el invierno. Comienza con la *despertá,* sigue con la espectacular ofrenda de flores de todo el pueblo valenciano a la Virgen de los Desamparados y las continuas tracas y fuegos artificiales, que culminan el 19 de marzo con la *nit del foc.* Al llegar las 12 de la noche, tiene lugar la *cremá* y el trabajo artesanal de un año entero es pasto de las llamas. La otra gran fiesta de la región es la de "Moros y Cristianos", que la celebran numerosos pueblos, pero que si hay que destacar alguno por su tradicionalidad y espectacularidad éste es **Alcoy.** No hay que olvidar el ya internacionalmente conocido *Misterio de Elche,* un auto sacramental con partituras y libreto de origen medieval, que representa el Tránsito y la Asunción de la Virgen. La representación tiene lugar el 14 y 15 de agosto en la basílica de **Elche** y la puesta en escena es llevada a cabo por actores no profesionales que ensayan a lo largo del año.

En toda la región destacan los trabajos artesanales de cerámica, tradición con importantes antecedentes iberos, romanos y visigodos, así como los trabajos de alfarería y cestería de esparto, junco, mimbre y palmito. En esta tierra se asientan sólidamente las industrias del vidrio, del juguete y de la pirotecnia, mezcla de arte e industria.

La cocina levantina es el paraíso de los arroces. La paella valenciana es el plato más internacional de la gastronomía española. Numerosas variedades de paella existen en la región aunque según los expertos la paella genuina es la hecha al fuego de leña con los siguientes ingredientes: arroz, pollo, conejo, caracoles, judías tiernas, tabella, *garrofó,* tomate, aceite, sal, azafrán, pimentón rojo y agua. Una variedad muy popular es el "arroz a banda", con fondo de pescado. Capítulo especial merecen las frutas de las huertas levantinas, cuyo liderazgo ostentan las naranjas, así como su famosa repostería, en la que brillan con luz propia los turrones de Alicante, cuyo centro radica en **Xixona,** y cuya fama ha desbordado nuestras fronteras. El refresco típico es la horchata de chufa, producto original de la localidad de **Alboraya.**

La Costa del Azahar se extiende 112 kilómetros a lo largo de la provincia de Castellón. Frente a ella se alza el archipiélago de las Columbretes, un conjunto de islotes de origen volcánico cuya riqueza marina hace de él un paraíso para los pescadores. En **Castellón de la Plana,** la capital de la provincia, muy cercana a la costa, se puede admirar la catedral de Santa María y la impresionante fachada de sillería del Ayuntamiento. Entre los enclaves costeros destaca **Peñíscola,** ciudad-fortaleza situada sobre un elevado espolón rocoso dominado por un castillo medieval que fue hogar y refugio del papa Luna, dentro de cuyas murallas se construyeron calles y casas en una adaptación casi milagrosa a tan pequeño y accidentado terreno. Y, en las montañosas comarcas del interior, concretamente en el Maestrazgo, se alza **Morella,** cercada también por murallas, en la que se conservan los restos de un antiquísimo acueducto y las torres de San Miguel, así como numerosas casas de noble raigambre.

En la costa de Valencia se halla la histórica población de **Sagunto,** con su castillo que ocupa un kilómetro de longitud y en el que se entremezclan elementos arquitectónicos ibéricos, romanos, musulmanes y cristianos. El teatro romano, del siglo II, con una capacidad para 8.000 espectadores, fue el primer Monumento Nacional declarado como tal en España el 28 de agosto de 1896. Su antiguo barrio de la judería es uno de los más completos que se conservan.

La ciudad de **Valencia,** dos veces milenaria, abrazada por los dos cauces que hoy tiene el río Turia, posee un valioso patrimonio monumental. La catedral, de estructura gótica comenzada en 1262, se adorna con una torre campanario de base octogonal, popularmente conocida como El Miguelete, de los siglos XIV-XV. Entre los edificios civiles de estilo gótico destaca la Lonja de Mercaderes, del siglo XV, con su famoso salón de columnas helicoidales. Palacios como el de la Generalitat, el de la Baylia o el de la Scala, iglesias como las de San Juan del Hospital, de San Nicolás o de San Agustín, conventos como el de Santo Domingo o el Real Monasterio de la Trinidad... son algunos testimonios del rico acervo cultural de la capital del Turia.

Valencia, bañada por las aguas del Mediterráneo, se localiza en el centro de la fértil huerta *(l'horta)* en la que durante generaciones y generaciones los valencianos administraron inteligentemente los escasos caudales del Turia, por medio del milenario Tribunal de las Aguas, encargado de dirimir las disputas entre hortelanos. Pocos kilómetros al sur de la capital se encuentra la Albufera de Valencia, separada del mar por una franja de tierra denominada la Devesa. Esta hermosa zona húmeda, seriamente amenazada de desaparecer, ha sido desde siempre un paraíso para el pescador y para el cazador por la riqueza y variedad de sus especies piscícolas y de sus aves acuáticas.

Siguiendo la costa en dirección sur se localizan poblaciones como **Sueca,** la ciudad del arroz, **Cullera**, en la desembocadura del río Júcar –el *Xúquer* como lo denominan los valencianos–, el más importante de los ríos de la región, y **Gandía,** con su catedral de estilo gótico valenciano, el Hospital de San Marcos y el Real Monasterio de Santa Clara, ambos del siglo XIV.

Pero si bellas son las playas valencianas, el interior de la provincia, desconocido para muchos, es un cúmulo de sorpresas no sólo por los espectaculares paisajes de sus sierras y valles sino también por las numerosas huellas culturales de su pasado que se han conservado en poblaciones como, por ejemplo, **Requena,** a 70 kilómetros de Valencia, que conserva restos de murallas y un barrio antiguo con el palacete del Cid y la Casa del Santo Oficio, o **Alcira,** villa musulmana, con sus murallas árabes y la iglesia arciprestal de Santa Catalina, del siglo XVI, o **Játiva,** la "ciudad de las mil fuentes", cuna de los grandes papas Borja, Calixto III y Alejandro VI.

La Costa Blanca se extiende a lo largo de la provincia de Alicante y es, quizás, la más popular de las costas levantinas, destacando por su importancia como polo de atracción turística. La ciudad de **Benidorm,** con sus dos importantes playas de fina arena y su cuidada infraestructura hotelera acapara la mayoría de los visitantes de esta costa.

En el límite norte de la Costa Blanca está **Denia,** dominada por un castillo. Más al sur, en **Calpe,** se localiza el conocidísimo Peñón de Ifach, un espolón rocoso que penetra en el mar a través de un pequeño istmo, cuyo perfil se ha convertido en una de las imágenes más representativas de la Costa Blanca. **Alicante,** la capital, está dominada por el castillo de Santa Bárbara. Sus monumentos más antiguos son el Ayuntamiento y la iglesia de Santa María, de estilo barroco valenciano, y la catedral de San Nicolás de Bari, de estilo herreriano. Es ésta una ciudad moderna, con una temperatura anual media de 17° C y muy poca pluviosidad.

Dieciocho kilómetros al sur de Alicante se encuentra **Santa Pola,** con su vieja fortaleza del siglo XVI y su puerto pesquero. Más hacia el sur se hallan las célebres Salinas de Santa Pola, junto a las largas playas de este pueblo, y en el mar, frente a ellas, la isla de **Tabarca,** caracterizada por sus bellísimas calas, y donde vive un reducidísimo núcleo de pescadores. Casi en el límite de la provincia se encuentra **Torrevieja** con sus también famosas salinas que durante muchos años fueron una de las principales fuentes de ingresos de la región.

El interior de la provincia de Alicante ofrece una paisaje agreste y montañoso de una gran belleza natural. La ciudad más alejada de la costa es **Villena,** aunque sólo está a 60 kilómetros del mar. En ella se conserva el castillo La Atalaya del siglo XIII. **Alcoy,** la segunda ciudad de la provincia posee una poderosa industria textil e interesantes muestras del barroco levantino. **Elda** y **Novelda** son poblaciones con una próspera industria del calzado. **Monóvar** es famosa, además de por sus excelentes vinos, por ser la cuna del escritor "Azorín", cuya casa natal es hoy una casa-museo. **Orihuela** posee un amplio repertorio monumental, con los restos de su castillo y la notable portada plateresca de la catedral. Por último, **Elche,** además de por su famoso *Misteri* representado durante el mes de agosto, es célebre por su antiquísimo palmeral conocido popularmente como "el Huerto del Cura". Cerca de Elche, en la loma de la Alcudia, se descubrió la obra maestra de la escultura ibérica, la Dama de Elche, que hoy se conserva en Madrid en el Museo Arqueológico Nacional.

LA REGIÓN MURCIANA

La Región Murciana, situada en el sureste de España, entre la Comunidad Valenciana y Andalucía, contó en la antigüedad con importantes enclaves cartagineses y romanos. Durante la dominación árabe, los musulmanes constituyeron el Reino de Murcia, que en el siglo XII pasó a formar parte de Castilla tanto política como administrativamente.

La alfarería y los bordados son los dos ejes más destacados de la artesanía murciana. Las jarras de loza oscura, en cuya composición interviene el estaño, y los cacharros vidriados se siguen elaborando con las viejas técnicas de siempre. La Semana Santa de Murcia y su región con sus pasos y procesiones constituyen la máxima expresión de un sentimiento popular. En **Mula** y **Moratalla** resuenan con estruendo los tambores en señal de duelo por la Pasión del Señor.

Los productos de la huerta son los principales protagonistas de la gastronomía murciana. Las hortalizas y las verduras se presentan bajo formas muy variadas, frecuentemente en imaginativas tortillas o en sabrosas menestras, aunque lo más representativo son los "michirones", habas verdes aderezadas con picante. Los arroces con "pava" (coliflor) y las carnes de corral son habituales en las mesas familiares. El pastel de carne, hecho de ternera, chorizo, huevo duro, sesos y picadillo, envuelto todo en un fino hojaldre que se lleva al horno, y los dulces, de claro origen árabe, representan los gustos culinarios de la región.

La Costa Cálida se extiende a lo largo del litoral de Murcia. Su clima suave y sus playas de arena fina la convierten en un importante foco de atracción turística. En ella se abre el Mar Menor, una laguna de agua salada que se comunica con el Mediterráneo, especialmente apta para la práctica de los deportes marítimos. **La Manga del Mar Menor** es su enclave turístico más importante, seguido del **Puerto de Mazarrón** y de **Águilas.**

Cartagena y su puerto dominan una de las bahías naturales más seguras del Mediterráneo occidental. La ciudad fue fundada por los cartagineses en el año 221 antes de Cristo con el nombre de *Carthago Nova*. Su museo posee excelentes colecciones romanas y prerromanas que dan testimonio del papel que jugó esta ciudad en la historia de España.

Murcia, capital de la región, está emplazada en el interior. Su principal monumento es la catedral, de estilo gótico castellano, comenzada en 1394 y consagrada en 1465. El florecimiento económico de Murcia en el siglo XVIII se refleja en numerosos edificios civiles e iglesias de estilo barroco. Entre sus museos hay que destacar el Museo Salcillo dedicado al imaginero Francisco Salcillo, el más importante artista murciano.

Situada a los pies de un castillo en ruinas, **Lorca** es una ciudad de campanarios y viejos palacios que merece la pena visitar. La parte más alta del casco urbano, la Lorca medieval, es un laberinto de casas encaramadas en las peñas cuya disposición habla claramente de su ascendencia musulmana. El opulento barroco está bien representado en las iglesias del Rosario y de San Francisco, ambas del siglo XVIII, o en la casa de los Guevara (s. XVIII). Los palacios de Alburquerque y Pérez del Pulgar son de estilo renacentista. En la Plaza Mayor, el Ayuntamiento, con su elegante arquería, y la Antigua Colegiata de San Patricio crean el marco de uno de los mejores escenarios de la ciudad.

CASTILLA-LA MANCHA

Esta extensa región que se extiende al sur y al este de Madrid
ocupa la zona meridional del antiguo territorio del reino de Castilla. A ella pertenece una amplia zona denominada La Mancha,
mundialmente famosa gracias a la pluma de Miguel de Cervantes Saavedra que la inmortalizó al hacerla el escenario de las
aventuras y desventuras del ingenioso hidalgo Don Quijote de la Mancha.

Son numerosas las fiestas de esta región del interior de España. El 25 de enero, en **San Pablo de los Montes** (Toledo),
los mozos que han cumplido ese año el servicio militar celebran la denominada "Vaca", en la que intervienen personajes tan
curiosos como la "Madre Cochina", que se dedica a levantar las faldas a las mujeres, "la Vaca", que corre tras los forasteros, el
"Escobonero" y los "Cencerreros". En **Almonacid del Marquesado** (Cuenca), el 2 de febrero, conmemoración de la Purificación
de María, se celebra "La Endiablada" que se continúa al día 3, festividad de San Blas. Los diablos, representados por personas
de todas las edades, acompañan tanto a la Candelaria como a San Blas en sus respectivas procesiones dando grandes saltos y
carreras, levantando los brazos y haciendo sonar los gigantescos cencerros que llevan sujetos a la cintura.

En Semana Santa resuenan en las ciudades albaceteñas de **Hellín** y **Tobarra** los tambores de la popular "tamborrada".
El día de Pascua de Resurrección en muchos pueblos de Castilla-La Mancha se quema "El Judas", un muñeco hecho de trapo y
paja que llenan de cohetes y explosivos. "La Caballada" de **Atienza** (Guadalajara) se celebra el domingo de Pentecostés, aunque
los preparativos comienzan la víspera, el llamado día de "las siete tortillas", cuando el "Prioste", el "Mayordomo", el "Manda" y la
Junta de la Cofradía se dirigen a la ermita de la Estrella. Con la Caballada se conmemora la hazaña de aquellos arrieros atencinos
que en 1162 salvaron a Alfonso VII, todavía niño, de las manos de su tío Fernando II, que había sitiado la villa. En la romería del
Cristo Sahuco en **Peñas de San Pedro** (Albacete) se traslada a hombros y a la carrera una especie de féretro en forma de cruz
en cuyo interior se introduce una imagen articulada de Cristo.

Toledo festeja el *Corpus Christi* con un esplendor fuera de lo común. En la solemne procesión se lleva en andas una
magnífica custodia del siglo XVI. El primer domingo de septiembre se celebra en **Mota del Cuervo** (Cuenca) el traslado de la
Virgen de Manja-Vacas, llevada por los "anderos" a la carrera hasta su santuario, situado a 7 kilómetros. La fiesta de la "Rosa del
Azafrán" en **Consuegra** (Toledo) tiene lugar el último domingo de octubre.

Tierra de caza menor, la perdiz estofada cocinada con laurel, pimienta y ajo es uno de los platos típicos de la región. Los gazpachos
de la Mancha, particularmente los de Albacete, son aquí un guiso invernal, cuya confección es larga y laboriosa, y ya aparecen citados en
el *Quijote* con el nombre de "galianos". El pisto manchego, plato de origen árabe, se ha popularizado en toda España y admite muchas
variantes. El más genuino está formado por pimientos verdes y rojos, tomates y una pequeña parte de calabacín. En la provincia de Cuenca
se prepara el "morteruelo" un plato muy fuerte, grasiento y sabroso, que lleva mucho hígado de cerdo, menudillos de ave, carne de caza
y especias, que recuerda al *foie-gras* por su aspecto compacto y cremoso. En Ciudad Real se confecciona el "tojunto" que consiste en poner
al fuego conejo de monte, ajo, cebolla, pimientos verdes y un chorretón de aciete, "todo junto", hasta que se hace.

Entre los postres abundan los mantecados, los bollos de aceite y las pastas fritas rebozadas en miel. La fama de los mazapanes
de Toledo, inventados según la tradición de los musulmanes, ha sobrepasado las fronteras de España. Mención especial merecen los
quesos manchegos de leche de oveja, unos curados y otros mantecosos. Se conservan en recipientes llenos de aceite, lo que les da un
sabor especial muy agradable. El vino de Valdepeñas es muy apreciado en toda la región y empleado en toda España para el "chateo".

La provincia de Albacete ha sido siempre una encrucijada de caminos que comunicaba la Meseta con el mundo
mediterráneo. La ciudad de **Albacete,** célebre por su industria navajera, posee una catedral del siglo XVI. En su provincia hay una
gran diferencia entre la parte norte, llana y manchega, y la sierra, zona agreste cuyos cursos fluviales van a parar al Segura y al
Guadalquivir. En el sur de la provincia, **Hellín,** de origen muy antiguo, fue antaño una plaza fuerte medieval. Al este, se encuentra
Almansa, que perteneció a la Orden Templaria hasta que en 1310 se incorporó a la corona de Castilla. Un castillo muy bien
conservado domina la ciudad, en cuyas proximidades se encuentran las pinturas prehistóricas rupestres de Alpera y los restos
del santuario ibérico del cerro de los Santos. Al norte, **Villarrobledo,** famoso por su cerámica alfarera, posee en la iglesia de San
Blas una notable muestra del estilo renacentista. Al oeste, el Parque Natural de las Lagunas de Ruidera, que penetra en la provincia
de Ciudad Real, nos presenta una serie de lagunas enlazadas escalonadamente y formadas por el río Guadiana, siempre llenas

de aves acuáticas. Estas lagunas tienen agua todo el año gracias a las fuentes subterráneas. En sus proximidades está la célebre Cueva de Montesinos de la que nos habla extensamente Cervantes en *El Quijote*.

Ciudad Real es la capital tradicional de la comarca manchega. Designada villa real en 1225, conserva un reducido conjunto monumental con restos de sus antiguas murallas y la llamada Puerta de Toledo del siglo XIV. Como paso obligado de la Meseta al valle del Guadalquivir, la actual provincia de Ciudad Real fue entregada por el poder real, incapaz de defender por sí mismo estas amplias fronteras frente a los musulmanes, a las Órdenes Militares. La Orden de Calatrava, la de Santiago y la de San Juan se instalaron en estas tierras manchegas.

Almagro fue capital de la Orden de Calatrava, que hizo de la región del Campo de Calatrava una especie de estado feudal. Son célebres los artesanos encajes que todavía se hacen en esta ciudad manchega. En Almagro se halla el único "Corral de Comedias" o teatro del siglo XVII que conserva todas sus dependencias. En el sureste de la provincia, casi en los límites con Badajoz, se localizan las famosas minas de cinabrio de **Almadén,** las más importantes del mundo, en las que se viene extrayendo el mercurio ininterrumpidamente desde el siglo IV antes de nuestra Era.

Los molinos de viento han pasado a la historia por las peleas que el ingenioso hidalgo Don Quijote de la Mancha sostuvo con ellos confundiéndolos con gigantes. En **Campo de Criptana** pueden contemplarse todavía los movimientos de colosales aspas movidas por el viento. Muy cerca de la población de **Daimiel** se encuentra el Parque Nacional de las Tablas de Daimiel, antiguo cazadero real hoy considerado uno de los humedales más importantes de Europa. En estas charcas, tapizadas de masiega y de carrizo, las aves acuáticas encuentran el alimento y refugio que necesitan en sus largos periplos migratorios.

La ciudad de **Toledo,** con más de dieciocho siglos de historia, se alza en la cima de una colina granítica, rodeada en tres de sus lados por el lecho profundamente encajonado del río Tajo. Esta milenaria villa que fue sucesivamente municipio romano, capital del reino visigótico, plaza fuerte del emirato de Córdoba y ciudad imperial en tiempos de Carlos V ha sido declarada Patrimonio de la Humanidad.

Restos romanos y visigóticos se entremezclan con monumentos judíos, como la sinagoga de Santa María la Blanca y la sinagoga del Tránsito, o con los numerosos edificios árabes. En el centro de la ciudad se alza, grandiosa, la catedral gótica de cinco naves. Otros monumentos importantes además de sus puentes y las puertas que se abren en sus murallas son el Hospital de la Santa Cruz, la iglesia de San Juan de los Reyes, el Ayuntamiento, de estilo herreriano, el Hospital de Tavera...

En el siglo XVI, el Greco elige la villa imperial como residencia, legándola multitud de cuadros. Entre ellos destaca "El entierro del Conde Orgaz", su obra maestra, expuesto en la iglesia mudéjar de Santo Tomé. Pero para conocer la ciudad de Toledo hay que recorrerla a pie, atravesar la siempre animada plaza de Zocodover y perderse por las numerosas calles y callejuelas medievales con objeto de poder captar su espíritu singular.

Son muchos los pueblos de la provincia toledana que merece la pena visitar. **Ocaña** y **Tembleque** con sus armoniosas plazas mayores. **Consuegra,** protegida por la silueta de un viejo castillo y donde se conservan un gran número de molinos de viento. **Orgaz,** con su puente romano y su gran Plaza Mayor. **Guadamur, Torrijos, Maqueda** y **Escalona** nos ofrecen sus soberbios castillos. Las cerámicas de **Talavera de la Reina** y del **Puente de Arzobispo** son muy famosas y **Lagartera** ha adquirido renombre nacional por la artesanía de sus encajes y bordados.

La ciudad de **Cuenca** tiene su origen en la Alcazaba levantada por los musulmanes. Enclavada en un bellísimo paraje natural, conserva restos del castillo y de las murallas medievales. Son muy famosas sus Casas Colgadas, edificios que parecen suspendidos en el vacío sobre un afilado despeñadero que se forma sobre la hoz del Huécar. El Ayuntamiento, la casa de la Misericordia y el Palacio Episcopal son sus principales monumentos. Su museo de Arte Abstracto Español es uno de los mejores de su género.

Al norte de Cuenca, en la serranía del mismo nombre, se encuentra la "Ciudad Encantada". Una extensión de unos veinte kilómetros cuadrados formada por un auténtico laberinto de rocas de diferentes formas y tamaños. Es un típico paisaje cárstico de gran belleza natural en el que la imaginación puede desbordarse atribuyendo a las erosionadas rocas la imagen de los mas diversos personajes o cosas.

De origen ibérico, **Guadalajara** fue una importante población musulmana que formaba parte del reino Taifa de Toledo. De esta época conserva todavía una parte de las murallas y el puente sobre el Henares, que data de los siglos X y XI. Entre sus iglesias sobresale la de Santa María la Mayor, de estilo mudéjar. De los edificios civiles, el palacio del Infantado constituye un ejemplo muy interesante de la última época del gótico, con una influencia mudéjar y un cierto espíritu renacentista, y el palacio de Mendoza, ya plenamente renacentista, influyó notablemente en el plateresco castellano.

Al norte de la provincia, en plena sierra, se encuentra la ciudad de **Sigüenza**, de origen celtibérico, antiguo centro eclesiástico y universitario. Su catedral es una de las más notables de España por la riqueza artística que encierra. Iniciada en el siglo XII y concluida en el XIV, manifiesta una clara evolución desde un estilo cisterciense austero hasta un gótico rudo y fuerte. También en la sierra se localiza **Atienza**, con un castillo que conserva muchos elementos del siglo XII.

MADRID, CAPITAL DE ESPAÑA

La capital de España tiene su origen en una fundación árabe del siglo IX. La denominación de **Madrid** como "villa del oso y del madroño" data del siglo XIII. Según cuenta la tradición, un litigio entre el concejo de la villa y el clero sobre la titularidad y utilización de ciertos montes y pastos de los alrededores, se resolvió por ambas partes acordando que los árboles pertenecerían al primero mientras que el cabildo se quedaría con los pastos. Para conmemorar este pacto, la villa adoptó por escudo el madroño, sobre cuyo tronco se apoya un oso, y el cabildo utilizó en el suyo el oso pastando. Madrid comenzó a cobrar verdadera importancia cuando, en 1561 Felipe II trasladó allí su corte y desde el momento en que Felipe III, nacido en Madrid, la hizo capital definifiva de España en 1606.

La ciudad celebra las fiestas de su patrono, San Isidro, con las típicas verbenas en la pradera de San Isidro, al borde del río Manzanares, junto a la ermita del Santo Patrón, que conserva unos interesantísimos frescos de Goya. En esos días se celebran las tradicionales corridas de toros en la Plaza Monumental de las Ventas. Por otro lado, y a lo largo de todo el año, los domingos por la mañana se celebra en la plaza de Cascorro y calles adyacentes el célebre "Rastro", un mercado al aire libre en el que se puede encontrar de todo.

En la capital de España se pueden degustar las más sabrosas especialidades, tanto de la cocina española como de la internacional, pero son el célebre cocido madrileño y los "callos a la madrileña" los platos más típicos y populares de la ciudad. La deliciosa sopa de ajo, aunque se hace en otras regiones, es en Madrid donde ha alcanzado categoría gastronómica. Sólo con pan, ajo, aceite y pimentón se hace este exquisito caldo. Los espárragos y fresas de Aranjuez son también muy cotizados.

El trazado del Madrid más antiguo se ha conservado en torno a la plaza de la Paja y en él se encuentra la iglesia de San Nicolás de los Jesuitas, el templo más antiguo que se conserva en la "villa y corte". El Madrid de los Austrias se alza muy cerca de la popular Puerta del Sol, el centro tradicional de la ciudad y el kilómetro 0 de la red viaria española. A él pertenece el convento de las Descalzas Reales, el puente de Segovia y la plaza de la Villa con su Ayuntamiento. Su obra más significativa es la porticada Plaza Mayor, una de las más hermosas de España, con la Casa de la Panadería. El Palacio Real y sus jardines, de estilo neoclásico, constituyen un magnífico ejemplo del arte palaciego del siglo XVIII. En su interior, una riquísima colección de pinturas, tapices y muebles hacen de él un auténtico museo.

Del Madrid borbónico hay que reseñar el Jardín Botánico, las populares fuentes de Cibeles y de Neptuno y la Puerta de Alcalá. Del Madrid moderno de principios de siglo, el edificio de correos, en la plaza de la Cibeles, y la famosa Gran Vía, que sale de la calle de Alcalá y llega hasta la Plaza de España, constituyen los máximos exponentes de una ciudad que despegaba a marchas forzadas. Por último, el Madrid contemporáneo y vanguardista, se ha concentrado en el eje del paseo de la Castellana, que va desde la plaza de Cibeles a la plaza de Castilla.

En Madrid existen numerosos parques y jardines, entre los que destacan el parque del Retiro, en el centro de la ciudad, y el Jardín Botánico, creado por Carlos III y situado próximo al Museo del Prado, una de las más completas pinacotecas del mundo. Junto a él se alzan el Casón del Buen Retiro y el Palacio de Villahermosa, sede definitiva de la colección Thyssen-Bornemisza.

En los alrededores de Madrid se encuentra **Aranjuez**, a orillas del río Tajo, cuyo Palacio Real posee jardines y fuentes monumentales de gran valor artístico. **Alcalá de Henares**, cuna de Miguel de Cervantes Saavedra, posee una universidad fundada por el Cardenal Cisneros en 1498, en la que destaca el patio de Tomás de Villanueva, de estilo clasicista. En la vertiente sur de la sierra de Guadarrama se eleva la obra monumental del Valle de los Caídos, con su gigantesca cruz de granito de 150 metros de altura y 46 metros de longitud y su enorme basílica subterránea.

Pero la obra maestra de la provincia de Madrid es el monasterio de San Lorenzo de **El Escorial**, en el pueblo del mismo nombre, situado en la vertiente sur de la sierra de Guadarrama. Mandado construir por Felipe II para conmemorar su victoria sobre los ejércitos franceses en la batalla de San Quintín, el propio monarca supervisó personalmente las obras. Esta importante construcción, un enorme rectángulo de 207 por 162 metros, sorprende por su austeridad. Diseñado por Juan de Herrera, el edificio es a la vez un palacio, un convento, una iglesia y un panteón. Cuatro torres macizas lo delimitan en sus cuatro ángulos. La iglesia y el soberbio patio de los Reyes, que se abre delante de ella, ocupan el eje este-oeste del mismo. Bajo el altar mayor se encuentra el panteón real, donde descansan los restos mortales de los reyes y reinas españolas. De todas las salas del monasterio hay que destacar la Biblioteca, fundada por el propio rey Felipe II, con anaqueles diseñados por Juan de Herrera y techos pintados por Tibaldi, que alberga más de 50.000 volúmenes y más de 4.700 manuscritos, algunos de valor incalculable. Todo este conjunto arquitectónico ha sido declarado Patrimonio de la Humanidad.

EXTREMADURA

La región extremeña, lindando con Portugal, constituye una gran parte de la antigua *Lusitania* de los romanos. Durante varios siglos estuvo en poder de los conquistadores musulmanes hasta que en sl siglo XIII se produjo la casi total reconquista de los territorios extremeños. A partir de la primera mitad del siglo XIV, Portugal inició sus constantes intentos de apropiación de estas tierras, en particular, de Badajoz. Después de la batalla de Albuera de Mérida, la región quedó para siempre unida al reino de Castilla.

En los pueblos de Extremadura el folklore y las fiestas son muy singulares. Así, por ejemplo, el 20 de enero, festividad de San Sebastián, se celebran las "carantoñas" de **Acebuche** (Cáceres) en las que hombres disfrazados con pieles de animales y cubiertos con horribles máscaras se inclinan en la procesión ante la imagen del Santo, mientras que en **Navaconcejo** (Cáceres) el "taraballo", vestido con un sayal blanco y con un látigo de cuerda mojada en la mano, persigue a los jóvenes durante la procesión. Durante los carnavales es famosa la fiesta del "Pero Palo" en **Villanueva de la Vera** (Cáceres), en la que el personaje principal es un muñeco de trapo con rostro hierático y coloreado, vestido sobriamente de negro. En Semana Santa, los "empalaos" de **Valverde de la Vera** (Cáceres) cubren su torso, espalda y brazos con una fuerte maroma, mientras quedan fijados en cruz al timón de un arado, recorriendo de esta forma las estaciones del Via Crucis. El 24 de agosto, festividad de San Bartolomé, tienen lugar en **Montebermoso** (Cáceres) las danzas de la "Vacamoza" y de "Los Mozos de toro", denominadas de una u otra manera según lo bailen hombres o mujeres.

La gastronomía extremeña gira en torno al cerdo criado al aire libre y alimentado con la bellota de las dehesas, que proporciona chorizos, jamones y todo tipo de embutidos como el salchichón blanco o las morcillas patateras. La "caldereta extremeña" lleva trozos de cabrito fritos, que luego se cuecen con pimientos picantes y se aderezan con los hígados del animal, ajos crudos y pimientos morrones. Las migas y el gazpacho extremeño son otros platos típicos de la región. Y en cuanto a postres, las cerezas del valle del Jerte son muy apreciadas en toda España.

Enclavada sobre una colina, la ciudad extremeña de **Cáceres** se caracteriza por una evolución histórica sin interrupciones desde la dominación romana hasta la época contemporánea. Dos períodos urbanísticos han dejado su impronta en la ciudad actual: la plaza fuerte árabe, antes de que en 1229 cayera en manos cristianas, y la ciudad feudal de los siglos XIV al XVI.

Bajo el nombre de *Qasri* los árabes hicieron de Cáceres una plaza fuerte, remodelaron la muralla romana e integraron un sistema de torres en el sistema defensivo. Muchas de estas torres se conservan en la actualidad, entre ellas la célebre Torre de Bujaco. A pesar de que la mayoría de los edificios de este período de dominación musulmana han desaparecido, la red de calles y tortuosas callejas que se abren en pequeñas plazas constituyen el legado más importante de la época almohade.

A partir del siglo XIV llega a Cáceres un gran número de hidalgos y en pocos decenios se inunda de casas fuertes y torres, transformándose en una ciudad feudal. El palacio de la Generala y la casa y torre de las Cigüeñas pertenecen a este período. Durante los siglos XV, XVI y XVII los palacios fueron sustituidos por soberbias casas de piedra como la Casa del Sol, la Casa de Ulloa... Junto a ellas se construyen iglesias y conventos como la catedral gótica de Santa María o la iglesia de San Mateo, edificada esta última en el siglo XIV sobre el solar de una mezquita. El casco antiguo de Cáceres, que ha conservado de una manera

LOS ALCORNOQUES,
*en los bajos, con carne rugo-
sa, curtida por los años contra el sol y los vientos; las
encinas, trepadoras, su-
biendo hasta los montes su
médula dura; los robles, con
su cuerpo de acero... Son los
viejos y sufridos hijos de la
arboleda extremeña; los que
sombrean las dehesas lla-
nas, alfombradas de tiernos
pastos dulces; los que nacen
entre losas de rosado granito; los que, densos, como
bosques norteños, emergen
entre mares de helechos
confusos. En este robledal de
Yuste, la débil luz de la tarde
de otoño entra dorada por la
vegetación espesa.*

*En las páginas anteriores,
una vista del Monasterio de
El Escorial, la Plaza Mayor
de Tembleque, en Toledo
y molinos en el Campo de
Criptana, en Ciudad Real.*

148

Va subiendo la loma cuajada de encinas y oliveras. Siguen las casas cimeras de Belvis de Monroy, avanzada rotunda en la historia medieval de la Vera y los campos de Almaraz. Se recorta al fin la altiva torre del homenaje del castillo que levantara el primer señor de Belvis. Sobre él, dejando su blancura atada a las lejanías, las nieves de Gredos y los algodonosos cúmulos sombreando tierras y alturas.

150

¿Es verdad que existe en Puerto Lápice aquella venta famosa en la que fue armado caballero Don Quijote? Pregunta la pluma de Azorín en una de sus más conocidas obras. Ésta, la hoy llamada venta de Don Quijote, no vivió –otra lógica no cabría– en el mundo que viviera el magro caballero; pero las placas de cal de sus paredes, el añil intenso de sus zócalos y el sabor genuino de cada uno de sus rincones, bien podrían haber sido sus también irreales circunstancias.

152

VEINTICINCO AÑOS *antes de Jesucristo, soldados de Roma establecieron un campamento fijo en las cálidas y boscosas orillas del Guadiana. Posteriormente, Publio Carisio le da el nombre de Augusta Emérita. Y acabó siendo capital provincial de la Lusitania. La riqueza del Imperio fue generosa con la ciudad, que vio nacer grandiosos monumentos, de los que hoy persisten, como soberbias reliquias, las valiosas ruinas de su teatro, arcos, acueductos... El teatro, del que aquí aparece una imagen, fue construido durante el imperio de Agripa (año 15 a.C.). Con amplísima escena, posee un impresionante hemiciclo con aforo para 6.000 espectadores. Tanto festivales internacionales de teatro clásico, como las más sobresalientes compañías de teatro y ópera, encuentran en él cada año, solar de honor para sus representaciones.*

154

DESDE QUE
en el siglo XIII *Cáceres es
reconquistada por las
órdenes militares cristianas, importantes y aris-
tocráticas familias co-
mienzan a construirse
los lujosos y formidables
palacios que hoy enri-
quecen la ciudad. En la
foto vemos parte del to-
rreón del palacio de los
Golfines, desde la plaza
de San Jorge.*
*Entre la monumentali-
dad religiosa de Jerez de
los Caballeros, Fama Iu-
lia para los romanos y
cuna de nobles descu-
bridores para la España
cristiana, entre Fregenal
de la Sierra y Badajoz, se
eleva con belleza y origi-
nalidad la iglesia parro-
quial de San Bartolomé
(derecha). El inicio de
su construcción es del
siglo XV y en base al es-
tilo gótico. Posterior-
mente aparecen moti-
vos barrocos, con la
adquisición y acondi-
cionamiento de nuevos
espacios y volúmenes.*

156

CALLES ANGOSTAS, ENLOSADAS, RETUERTAS VEDADAS AL COCHE; *placitas diminutas de cal y piedra, balcones de madera y forja, enjoyados de macetas; mujeres que cosen en la lengua de sol de una esquina, con sombrero pajizo, pañolón al cuello y ropa parda desteñida. Son imágenes que enlutan y envejecen, que se pierden cada día, hasta en estos pueblos donde la tradición se mantiene fervorosa y viva.*

FREGENAL
de la Sierra, importante
población al sur pro-
vincial de Badajoz,
muy próxima a su lími-
te con Huelva, remon-
ta sus orígenes a los de
la Beturia céltica. Cin-
co kilómetros al sur de
esta población queda
Higuera la Real, pieza
clave en los arcanos so-
bre la distribución de
los asentamientos cel-
tas. La torre de uno de
sus templos aparece en
esta imagen.

ALICÚN,

en la provincia de Almería, aparece como una inocente frontera entre tierras que nunca quisieran ser hermanas. Aquí se quedan las amplias terrazas mimosamente cultivadas con cepas altas, de las que cuelgan inmensos racimos de uva fresca y larga. Allí, como malditas, se encrespan y levantan las tierras más abióticas del sur de Europa: los áridos y corroídos montes de la sierra de Gádor.

CURIOSAMENTE, ES FUERA DEL ACTUAL MUNDO ISLÁMICO *donde se encuentra el que puede ser considerado primer valor arquitectónico de su cultura. La mezquita de Córdoba, hoy convertida en catedral, con 23.400 m² de superficie, comenzada por Abd-al-Rahman I en el 780 y acabada por Almanzor, es en su interior, entre el extraño bosque de columnas oliváceas, bajo las arcadas de herradura de dovelas blancas y rojas, y con esos infinitos perdidos en el monótono sucederse de arcos y capiteles, uno de los templos más profundos de la humanidad.*

La bajada de
Sierra Morena hacia la
Campiña bética cordobesa
tropieza al fin con la bella
ciudad de Montoro. Ya des-
de las curvas más altas, don-
de la carretera rompe el ro-
quedo oscuro y se asoma a
los blancos campos de la-
branza, aparece una villa
blanca, de casas arracima-
das sobre un alcor que cala
profundo el cauce del Gua-
dalquivir. Un puente del si-
glo XV, de altas guardas y
piedras rojizas, conecta la
morena serranía con uno
de los pueblos cordobeses
más eufónico de nombre y
más bello de anatomía.

164

LA HERMANDAD DE EL BARATILLO,
*en el barrio sevillano del mismo nombre, procesiona penitencialmente la tarde
del Miércoles Santo. Mil cien nazarenos, con túnicas azules de cola en el paso
del Cristo y blancas en el de palio, siguen la carrera oficial y las calles de acceso
a su templo. Aquí, el paso de La Piedad por la plaza del Triunfo, pegada a los
muros del Alcázar, a la salida de la Catedral.*

Tres en punto de la tarde, y tarde de Jueves Santo. Se acaban de abrir los portalones del templo de la calle Recaredo, frente a la también cofradiera iglesia de San Roque, y asoman las túnicas de cola de la Hermandad de Los Negritos. Un sol cenital y crudo se desploma sobre los penitentes blancos.

En las páginas siguientes, dos rincones sevillanos.

La CONSTRUCCIÓN DE LA PRIMITIVA CASA LONJA
tuvo como motivo la eliminación de tratantes y co-
rredores de comercio que dirimían sus negocios de
compraventa y cambios en las eclesiales gradas de la
Santa Catedral. Pero por aquél entonces –el edificio
se levantó entre 1584 y 1598–, Sevilla era la puerta
mercantil de América y, como tal, el puerto de mayor
comercio de Europa, por lo que las generosas dimen-
siones de la severa obra herreriana no serían inútiles.
La sobria elegancia del edificio lo dice todo, porque
la Lonja sevillana se construía cuando se acababa El
Escorial, y los lápices que diseñaron el que después y
ahora sería el Archivo de Indias estuvieron fraternal
y estilísticamente emparentados con los que crearon
la obra de Felipe II. Aledaña, la piedra luminosa de
la cara sur de la Catedral, rematada al fondo con la
torre magna de Sevilla.

170

LA REAL MAESTRANZA DE SEVILLA
es el primer coso taurino del mundo y el tribunal máximo de la tauromaquia.
Salir una tarde de feria de abril a hombros por la puerta del Príncipe es el
homenaje máximo que puede recibir un maestro del arte de Cúchares. Pero en
otras ocasiones, la gran plaza sevillana es utilizada para otros multitudinarios
festejos no cruentos, como este concurso de enganches.

El CAMPO ANDALUZ ES MÁS AGRÍCOLA QUE GANADERO

debido a la pobreza de sus pastizales. Pero excepcionalmente, la cría de reses bravas se transforma en eximio arte de estas cálidas tierras. Porque el toro de lidia, esa compleja criatura que ha de portar en su sangre el extraño binomio de la nobleza y la bravura, no es nunca el resultado de un genético azar, sino la sabiduría hecha tradición y el campo hecho casta. Las escenas de acoso y derribo constituyen en el campo andaluz a la vez una fiesta y un trabajo imprescindible en la cría de toros bravos.

LA PEREGRINACIÓN
a la ermita de la Virgen del Rocío, enclavada en el municipio almonteño de la provincia de Huelva, constituye la romería más multitudinaria y famosa de España. Con orígenes que se remontan al lejano siglo XIII, cuando Alfonso X el Sabio reconquista el reino mudéjar de Niebla, la primitivamente llamada Virgen de Las Rocinas, congrega cada año un millón muy largo de romeros, agrupados la mayor parte en hermandades, que proceden de todos los rincones del país. En la fotografía, las carretas de la hermandad de Triana caminando hacia El Rocío, paseando sus combas tolderas, adornadas de coloristas cintas y motivos florales, por un campo de girasoles.

174

ÉSTA ES UNA DE ESAS PEQUEÑAS FUENTES DE SABOR ÁRABE

que lloran más que cantan, que murmuran más que hablan y que viven
arrullando en el centro de cualquier plaza. Ésta, con su dorada flota de naranjas,
es la del Patio Banderas, centrada entre piedras nobles y muros encalados y
rodeada de un claro patio de banderas y naranjos.

A la derecha, el monumento cumbre de la Exposición Iberoamericana de 1929,
la Plaza de España, a semejanza de la universal Plaza de San Pedro del Vaticano,
parece extender, en su estructura de brazos abiertos, la acogida de las provincias
de España a los pueblos hispanos de ultramar; como aquélla, la romana, a todos
los hijos del orbe cristiano.

Subiendo

por la carretera que condu-
ce a Almería, va quedando
a los pies todo el abigarra-
miento de la capital grana-
dina. Y al llegar al mirador
de San Nicolás, tocando la
cal vieja del Albaicín, apa-
rece, dorada de luz contra
los nimbos, toda la piedra
que cincelaron los artistas
musulmanes para con-
vertirla en la Alhambra, el
palacio árabe más bello del
mundo; y en su Generalife,
los jardines donde, según
dice la leyenda, sus flores y
sus fuentes enseñaron a
amar sin conocer el amor al
príncipe Ahmed-al-Kamel.

178

Los GERANIOS ROJOS,

nacidos de la aparente estéril tierra volcánica de Lanzarote, surgen en delicioso

contraste en este campo de esta isla extraordinaria.

L os vientos que invaden la isla de Fuerteventura
cruzan sus tierras sin obstáculo alguno. Antes, esta circunstancia de relieve era
aprovechada por los lugareños para afincar sus molinos de viento y proceder a
la molturación del grano. Hoy, las ancianas construcciones lucen más encaladas
que nunca, pero su cansada osamenta de piedra y argamasa, y sus brazos de
inertes palitroques son sólo el recuerdo de arduos pasados que dejan su reliquia
a más abúlicas generaciones.

F<small>AMARA</small>,
al norte de Lanzarote, es el nombre del áspero y pronunciado macizo que recorre hasta el mismo extremo septentrional la costa oeste de la isla; pero es también el nombre de la playa y la bahía donde se tiende la última vertiente de las montañas y es también el de una caleta y población de antiguos pescadores con su puerto recoleto, y origen de modernas urbanizaciones, que igualmente con aquel nombre van comiéndose las solitarias arenas de la costa y aproximándose a las laderas de la sierra. La foto que aquí aparece pertenece a un rincón del puerto pesquero de Caleta de Famara.

182

EL VALLE DE LA OROTAVA *posee el aspecto de una ladera bella y ubérrima que se desploma poco a poco hacia la costa entre plantaciones que sólo cortan el mar y el horizonte, toda la creación blanca de su costa prolífica, y la cabeza, siempre altiva y presidencial, de la cumbre del Teide. Nada puede sorprendernos que los historiadores sitúen en La Orotava la residencia de los más poderosos menceyes de Tenerife, y que esta riquísima región fuera la privilegiada provincia guanche donde existió el fabuloso reino de Taboro. Sin duda fueron parcelas isleñas como ésta de La Orotava las que decidieron a los primeros navegantes a llamar a estas islas Afortunadas.*

LA VILLA DE LA OROTAVA
surge, de entre el confuso verde de sus plataneras, como
una vieja población magnifi-
cente y rica de monumentalidad arquitectónica. El casco
histórico de la ciudad, declarado Monumento de Interés
Histórico Artístico Nacional,
va mostrando en cada uno de
sus rincones esa distinción señorial que han ido asoleran-
do los siglos de su existencia.
Desde tejados, torres y terrazas, luminosas de sol y aso-
madas al mar, hasta sus um-
bríos patios, macizos de
plantas tropicales, sus plazas
recortadas y sus amplias casonas de atrevidos tejaroces y
ventanas volanderas, todo va
manifestando su indiscutible
y rancio abolengo.

186

Aᴘᴀʀᴛᴇ ᴅᴇ ʟᴀs sɪᴇᴛᴇ ɪsʟᴀs *que componen el archipiélago canario, algunas de éstas poseen en las cercanías de sus costas, pequeñas islas e islotes. Lanzarote es una de ellas, y al norte posee una cohorte de tres pequeñas. La mayor y más próxima es la Graciosa, con una aceptable población, puerto, etc. Montaña Clara, muy pequeña, queda al noroeste y muy poco distanciada de Graciosa. Ya más lejana y justamente al norte está Alegranza, con dos caletas y un pequeño caserío que lleva el mismo nombre de la isla. La vista que de la Graciosa vemos en la foto, está tomada desde el excepcional Mirador del Río, en un altísimo y escarpado promontorio del norte del municipio de Haría.*

188

El valle de la orotava, en la isla de tenerife,
conserva en la ciudad de este nombre un valiosísimo conjunto de
edificaciones cuyo alzado, planta y elementos arquitectónicos varios se
constituyen en lo más representativo de las viviendas nobles tradicionales
del archipiélago. La mayor parte de estos edificios se construyeron entre
los siglos XVII y XVIII, y la madera que los embellece y decora, a la par que
los sustenta, es el pino autóctono, el pino tea o pino canario. Uno de los
elementos que reúne toda la exuberancia tropical y la serenidad isleña
es el patio, normalmente ajardinado y donde a veces se elevan los esbeltos
estípites de las palmeras junto a la talla delicada de los arcos de madera.
    Aquí vemos el de la Casa de los Balcones, de los más bellos del valle.

190

EL AISLACIONISMO *insular es sin duda origen de sus frecuentes peculiaridades. Pero con el advenimiento del cosmopolitismo del presente siglo, la secular individualidad de los territorios insulares comenzó a desaparecer, y en lo que más se manifestó fue en algo tan ostensible como la arquitectura popular. Milagrosamente, Lanzarote sigue conservando mucho de su patrimonio arquitectónico. En la imagen, un trozo de la bella, sencilla e inmaculada arquitectura popular de la isla; ésta, en Mozaga, en el municipio de San Bartolomé.*

192

sorprendente la organización espacial de una población árabe durante su transformación en una ciudad feudal, ha sido declarado Patrimonio de la Humanidad.

El norte de la provincia está limitado por el enorme macizo de la sierra de Gredos, donde existe una de las poblaciones más importantes de cabras monteses, y que continúa por la sierra de Gata. En el valle del Tiétar y a la sombra del macizo de Gredos se localiza el monasterio de Yuste, perteneciente a la orden de los Jerónimos; allí se retiró y falleció el emperador Carlos I de España y V de Alemania en 1558. Muy cerca se encuentra la ciudad histórica de ***Plasencia*** que conserva restos de sus murallas medievales con algunas de sus puertas. Su catedral está formada por dos cuerpos: la catedral vieja, de los siglos XIII y XIV, con tres naves, un claustro y una sala capitular, y, separada sólo por un muro, la catedral nueva, comenzada a edificarse en 1498. En el casco urbano sobresalen mansiones señoriales como la del Deán, la de Moroy, la de Torrejón...

La ciudad de ***Trujillo*** es cuna de dos grandes conquistadores españoles: Francisco de Pizarro y Francisco de Orellana. Esta antigua fortaleza, habitada por el pueblo cántabro de los rucones durante el siglo VI, conserva restos de su necrópolis romana y un castillo y una muralla de origen medieval. Posee una de las plazas mayores más hermosas de España y unos aristocráticos barrios de mansiones blasonadas como la del marqués de la Conquista, la de Sofraga, la de Orellana-Pizarro o la de los Escobar. Cerca de Trujillo, en la región de las Villuercas, se encuentra la ciudad de ***Guadalupe*** con el célebre monasterio del mismo nombre, que encierra en su interior numerosas obras de arte, también declarado Patrimonio de la Humanidad.

Badajoz, lindando con la frontera portuguesa, es una ciudad situada sobre una colina de calizas cámbricas en cuya parte más elevada se encuentra la Alcazaba árabe rodeada por el casco viejo, caracterizado por sus cortas, estrechas y empinadas calles. Se conservan grandes lienzos de la muralla de la Alcazaba y varias torres albarranas, como la de Espantaperros. La catedral, del siglo XIII, tiene más la sobriedad de una fortaleza que el aspecto de una iglesia. Entre sus numerosas construcciones civiles hay que señalar el viejo puente sobre el Guadiana, del siglo XVI, y el palacio fortificado del duque de la Roca.

Mérida, la actual capital de la región fue fundada el año 25-27 antes de Cristo con el nombre de *Emerita,* llegó a ser la ciudad más poblada de la Península. Los monumentos públicos más importantes son el teatro, que se halla en la ladera del cerro de San Albín, y el anfiteatro, situado junto a él. El teatro tenía un aforo para 5.000 espectadores mientras que el anfiteatro contaba con 15.000 localidades. Al este de la ciudad, fuera de sus muros, se localiza el circo, con unas dimensiones de 435 por 115 metros. El arco de Trajano, el templo de Diana, el templo de Marte, la basílica, los acueductos... son los restos de un imporante enclave de la Hispania romana sobre los que se erigió esta ciudad, hoy también incluida en la Lista del Patrimonio Mundial.

ANDALUCÍA

La España del Sur recibe el nombre de Andalucía. Es mundialmente famosa por su original folklore, por su sol, por sus bellísimas tradiciones y por su dilatada historia marcada por la fascinante herencia árabe. Andalucía ha sido cuna del Descubrimiento. Colón salió del puerto de Palos en Huelva, y Sevilla jugó un papel importantísimo en los años que siguieron a la llegada de las primeras expediciones españolas a las Indias Occidentales.

Los más antiguos pobladores de Andalucía conocidos por testimonios históricos fueron los Tartesos, que fundaron en el segundo milenio antes de Cristo un poderoso estado basado en la metalurgia y en el comercio. Antes del año 1000 llegaron los fenicios, que establecieron numerosas factorías, de las que Cádiz fue la más importante. En el siglo VII antes de nuestra era hubo un renacimiento de Tartesos pero la expansión cartaginesa hacia el año 500 antes de Cristo acabó definitivamente con ellos.

Una vez finalizada la segunda guerra púnica, los romanos se instalaron en las antiguas colonias cartaginesas formando la provincia Bética. Tras la llegada de vándalos y visigodos tiene lugar la dominación musulmana y se forma *al-Andalus,* donde se mezclaron conquistadores y conquistados, forjándose una civilización que ha dejado una impronta imborrable en la actual Andalucía.

Hablar de folklore en Andalucía es caer en un tópico. El flamenco es un conjunto de cantes y bailes cuyas raíces se pierden en la historia. Cada región andaluza tiene su propio baile: sevillanas, malagueñas, rocieras..., o sus cantos característicos: bulerías, fandangos, soleares, peteneras, saetas..., e, incluso, los trajes se modifican de región en región.

Sus fiestas principales giran en torno a la Semana Santa. Los célebres pasos, la mayoría de ellos obras maestras de la imaginería andaluza, acompañados de sus cofradías de nazarenos ocultos por sus originales capirotes, constituyen toda una mezcla de tradición, folklore y religión. Cada ciudad, cada pueblo, celebra con fervor su propia Semana Santa, destacando por su fama las de Sevilla y Málaga.

El último domingo de mayo tiene lugar, en la aldea onubense de **El Rocío,** junto al Coto de Doñana, la romería más importante y famosa de España. Los rocieros llegan de todas partes a pie, a caballo o en carretas, haciendo "el camino", agrupados por hermandades para rendir pleitesía a la Virgen del Rocío, "la Blanca Paloma". La noche del domingo al lunes los almonteños tienen el privilegio de sacar y pasear a la Virgen en medio del fervor popular.

Entre las fiestas más populares destaca la Feria de Abril de Sevilla. El ferial sevillano se llena de centenares de casetas donde se vive durante todo el día el cante, el baile y el "tapeo". El carnaval de Cádiz es también de los más famosos de España junto con el de Tenerife. Durante tres días, hasta el Miércoles de Ceniza, los coros, comparsas y chirigotas gaditanas rivalizan en ingenio y alegría.

La fiesta de la Carretá se celebra en **Cogollos de Guadix,** en la provincia de Granada, durante tres días. El 30 de diciembre, "el día de la leña," los mozos cortan un pino y hacen acopio de leña. El último día del año, "el día de la Carretá," las mozas adornan el pino, que se traslada al pueblo, donde después de bendecirlo se reparte. El día uno de enero, "el día del Niño Jesús," se traslada en procesión hacia la iglesia la imagen que había sido sacada por niños la tarde anterior. En **Baena,** provincia de Córdoba, durante la Semana Santa, los "judíos coliblancos" y los "judíos colinegros" establecen una dura pugna para ver quién redobla más y mejor los tambores.

Una de las romerías más multitudinarias en Andalucía se celebra el último domingo de abril en **Andújar** (Jaén), en honor de la Virgen de la Cabeza. Ese domingo tiene lugar en **Puebla de Guzmán,** en la provincia de Huelva, la romería de la Virgen de la Peña, a la que asisten mujeres vestidas con el hermoso traje de "gabachas".

En la cocina andaluza aparece como plato más popular el "gazpacho", que en cada zona tiene su propio sabor. Algunas de sus variantes son el "salmorejo" cordobés, que se sirve en forma de puré sólido, y el "ajo blanco", el gazpacho malagueño, que lleva almendras y uvas. El arte del pescado frito ofrece en estas tierras una magnífica calidad: chanquetes, boquerones, chopitos... hacen las delicias del paladar más exigente. Los postres son también famosos: las yemas de San Leandro en Sevilla, los polvorones de Antequera, los tocinos de cielo de Guadix... El "tapeo", con una variedad de mini-comidas que alcanza niveles imaginativos extraordinarios entre las que brillan con luz propia el jamón de Jabugo, popularmente llamado jamón de pata negra y las olivas, constituye una faceta muy importante de la gastronomía andaluza. Por último, no hay que olvidar la variedad de vinos de la región, destacando el mundialmente conocido Jerez (Sherry) de Jerez de la Frontera, los vinos dulces de Málaga, la manzanilla de Sanlúcar de Barrameda...

La Costa de Almería, de casi doscientos kilómetros de longitud, ocupa el extremo oriental de Andalucía y es famosa por sus playas, sus blancos caseríos y sus aguas limpias con una enorme riqueza de peces. **Roquetas de Mar, Aguadulce, Carboneras, Garrucha...** son importantes enclaves turísticos.

Almería, la capital, la *Almariyya* (Espejo del Mar) de los árabes, está situada en el centro del golfo de su mismo nombre. Su monumento principal es la Alcazaba, construida por Abderramán III y situada sobre un cerro. En su bella catedral-fortaleza, cuyas obras dieron comienzo en 1524, se refugiaron más de una vez los almerienses cuando los corsarios se acercaban por mar a la ciudad.

El interior de la provincia, surcada por sierras, presenta poblaciones como **Lanjar de Andarax,** con la antigua residencia de Boabdil y Aben Humeya, las **Cuevas de Almanzora,** con sus típicas cuevas que le dan nombre y el castillo de Vélez, **Sorbas,** con sus "casas colgadas", **Vélez Blanco** y **Vélez Rubio,** con sus iglesias grecorromanas y mudéjares y **Mojácar,** en las estribaciones de la Sierra de Cabrera, con una red de callejuelas que testifican su pasado cartaginés y árabe.

La Costa del Sol comprende el litoral de las provincias de Granada y Málaga y llega en la provincia de Cádiz hasta Tarifa. Bajo un clima templado marcado por la suavidad sorprendente de sus inviernos que favorecen el crecimiento de una abundante vegetación subtropical, han surgido en esta costa numerosos núcleos turísticos, algunos tan famosos como **Marbella** con su Puerto Banús.

Otras poblaciones costeras importantes son **Motril,** que posee tres playas situadas en la provincia de Granada; **Nerja,** pintoresca población asentada sobre un acantilado en las estribaciones de la Sierra de Almijara, con sus bellísimas cuevas prehistóricas; **Benalmádena,** pueblo típicamente andaluz, a dos kilómetros del mar; **Fuengirola,** con sus más de seis kilómetros de playas; **San Pedro de Alcántara,** que conserva restos de tiempos de la dominación romana, y **Estepona,** con su fuerte sabor andaluz, todos ellos en la provincia malagueña. Y por último, en la parte gaditana de la Costa del Sol destacan el centro turístico de **Sotogrande de Guadiaro** y **La Línea de la Concepción,** municipio que hace frontera con Gibraltar.

Se podría decir que la provincia de Granada posee el techo de la Península. Los picos del Mulhacén (3.482 m) y del Veleta (3.392 m) dominan la espectacular Sierra Nevada, con sus pistas de esquí a sólo pocos kilómetros en línea recta del mar Mediterráneo. A la sombra de estos picachos cubiertos de nieve durante muchos meses del año se alza **Granada,** la capital, última fortaleza del rey moro Boabdil, que capituló ante los Reyes Católicos el 2 de enero de 1492, pocos meses antes del descubrimiento de América. La Alhambra y el Generalife, declarados Patrimonio de la Humanidad, constituyen su conjunto monumental más importante. La Alhambra es el edificio más singular que se conserva de la arquitectura civil musulmana. Todo el refinamiento, riqueza y delicadeza del arte y de la arquitectura islámicos en su último florecimiento en Occidente se encuentran reunidos en este edificio que es a la vez fortaleza, residencia y ciudad real y que se prolonga en los bellos jardines del Generalife, recorridos por innumerables canalillos, fuentes y surtidores de agua.

Entre los edificos cristianos de la ciudad destaca la catedral, cuyo trazado es obra del arquitecto Diego de Siloé, de la primera mitad del siglo XVI, uno de los templos más significativos del Renacimiento. Junto a ella se encuentra la Capilla Real. El monasterio de los Jerónimos y el de la Cartuja, junto con el original palacio de Carlos V son monumentos dignos de visitarse.

La Alpujarra granadina se extiende al sur de la provincia, entre Sierra Nevada y la Costa del Sol. La belleza de sus paisajes, lo pintoresco de sus pueblos y sus costumbres, mitad árabes mitad cristianas, sorprenden gratamente a quien recorre pueblos como **Orjiva,** con el palacio-fortaleza de los condes de Sástago, **Trévelez,** el pueblo más alto de España con sus famosos jamones curtidos en las nieves de la sierra, **Berchules, Pitres...**

En el interior de la provincia granadina existen interesantes poblaciones como **Loja,** con su Alcazaba, antigua fortaleza árabe construida en el año 895, y la iglesia de San Gabriel del siglo XV, o la ciudad de **Santa Fe,** que sirvió de campamento a los reyes Católicos durante la conquista de Granada y en la que recibieron a Cristóbal Colón para firmar las Capitulaciones que dieron como resultado el descubrimiento del Nuevo Mundo. Al norte de Granada se localiza **Guadix,** antigua colonia romana e importante ciudad árabe con la Alcazaba y la espléndida catedral renacentista, y más arriba la ciudad de **Baza,** con sus baños árabes y su notable colegiata.

En el centro de la Costa del Sol se alza la ciudad de **Málaga.** El casco viejo rodea la Alcazaba, el antiguo palacio de los reyes árabes, al pie del Gibralfaro, otra fortaleza de fundación fenicia reconstruida por los árabes, piedra angular de la defensa de la ciudad y del puerto. La ciudad vieja, medieval y renacentista, está formada por un laberinto de calles estrechas y retorcidas que culminan en la catedral renacentista, construida entre los siglos XVI y XVII.

Una de las poblaciones malagueñas más significativas del interior es **Antequera,** localizada en una fértil vega. Esta ciudad, fundada por los romanos, conserva restos de sus murallas árabes y el Arco de Santa María del siglo XVI. En las proximidades del casco urbano se alzan los dólmenes de Menga, Viera y Romeral. A trece kilómetros se encuentra el Parque Natural del Torcal de Antequera, un paisaje cárstico de espectacular belleza. En la serranía del mismo nombre está enclavada, al borde de una roca cortada a pico que se alza sobre el torrente del Guadalevín, la ciudad de **Ronda.** Esta fortaleza natural es una de las ciudades más antiguas de España, con sus calles árabes, su colegiata de Santa María la Mayor, el Puente Nuevo sobre el Tajo y la original plaza de toros del siglo XVIII, cuna de una de las escuelas taurinas más finas, la rondeña.

Desde la ciudad de Málaga, un servicio de *ferrys* garantiza el acceso a **Melilla,** la histórica plaza de soberanía española, situada en la parte occidental de la ensenada formada por los cabos de Agua y de Tres Forcas. Con el nombre de *Russadir* fue durante el siglo VI antes de nuestra era una de las principales factorías cartaginesas y más tarde fenicias. En 1382 y tras una serie de disputas internas la ciudad se convirtió en un montón de ruinas y sus habitantes la abandonaron. En 1556 los Reyes Católicos reconstruyeron la villa que desde entonces no ha dejado de ser española. Lo más interesante es el casco viejo, fortificado y de estructura medieval, así como la Alcazaba y la acrópolis de Medina Sidonia.

La provincia de Jaén, a través del desfiladero de Despeñaperros, es el paso habitual desde la meseta castellana a Andalucía. Los interminables olivares constituyen gran parte de su paisaje. La ciudad de **Jaén** nació como fortaleza medieval frente al reino de Granada sobre las ruinas de la *Auringis* romana. En el centro del núcleo urbano se alza la inmensa mole de la catedral, comenzada a construir a finales del siglo XV y cuyas obras se prolongaron hasta el siglo XVIII. Entre sus más antiguos monumentos se encuentran el castillo de Santa Catalina, reconstruido después de la reconquista de la ciudad, y los baños árabes de principios del siglo XI.

En la parte oriental de la provincia de Jaén hay que mencionar las Sierras de Cazorla y Segura, en las que nace el río Guadalquivir, uno de los lugares más agrestes de Andalucía, donde la cabra montés, el muflón y el venado poseen unas poblaciones en gran expansión. En estos montes se dan imponentes masas forestales de pino y una singular flora que consta de más de 1.300 especies diferentes, algunas sólo localizables en estas sierras, como la violeta de Cazorla.

Dos ciudades, consideradas por muchos como las más bonitas de España, brillan con luz propia en la provincia de Jaén: Úbeda y Baeza. **Úbeda** destaca por su estilo renacentista. La plaza de Vázquez de Molina es el conjunto monumental de mayor importancia. La Sacra Capilla de El Salvador, el Hospital de los Honrados Viejos de El Salvador, el palacio del deán Ortega, el palacio de las Cadenas, la Cárcel del Obispo y el palacio del marqués de Manceras son los edificios que adornan la plaza. Pero Úbeda no es sólo una plaza, es preciso internarse por su dédalo de callejuelas para poder descubrir todo su tesoro monumental con atisbos de románico, algo de gótico y vestigios musulmanes y mudéjares.

Baeza se asienta sobre una colina. Antigua sede episcopal y universitaria alcanzó su máximo esplendor en el siglo XVI. En esta ciudad de palacios y casonas blasonadas, tres plazas concentran el interés monumental. La antigua plaza del Mercado Viejo sigue siendo el centro principal de la población con su airosa torre de los Aliatares, el antiguo Pósito, la Alhóndiga, destinada a la compra-venta de trigo, y las casas consistoriales con su doble galería de arcos. La plaza del Pópulo es el conjunto monumental más característico de Baeza, adornada con la fuente de los Leones en su centro. Allí se localizan la Antigua Carnicería, edificio renacentista del siglo XVI, la casa del Pópulo con su magnífica fachada plateresca, y la Puerta de Jaén que pertenece al antiguo recinto amurallado. En la plaza de Santa María, frente a la severa portada del Seminario Conciliar, se alza la catedral construida sobre la antigua mezquita árabe.

Enraizada en la margen derecha del río Guadalquivir, la ciudad de **Córdoba,** la antigua capital de *al-Andalus,* del emirato y del califato del mismo nombre, ha conservado numerosas obras arquitectónicas de su pasado entre las que destaca su Mezquita que ha sido declarada Patrimonio de la Humanidad. Abderramán I comenzó a construirla en el año 784 y sus sucesores fueron agrandándola sucesivamente, siendo el caudillo Almanzor quien realizó la última ampliación. Inspirada en la mezquita de Damasco, la gran Mezquita cordobesa constituye un testimonio irreemplazable de la época del Califato de Córdoba (929-1031). Presenta en su interior uno de los más hermosos espacios arquitectónicos jamás realizados, con las 19 naves de su sala hipóstila conteniendo el gran bosque de columnas, la original superposición de arcos y las bellas cúpulas nervadas.

Se conservan en Córdoba alminares que pertenecieron a alguna de las numerosas mezquitas de sus barrios, como el campanario de la iglesia de San Juan y el del convento de Santa Clara, así como uno de los baños de la Córdoba musulmana. La ciudad posee también una hermosa judería, o barrio hebreo, con una bella sinagoga mudéjar.

En la provincia cordobesa se encuentran interesantes poblaciones como **Montoro,** con su gran puente sobre el río Guadalquivir que data del año 1500, **Priego de Córdoba,** asentada sobre una colina rodeada por el río Salado, que conserva un interesante grupo de iglesias de estilo rococó edificadas en el último tercio del siglo XVIII, y **Lucena,** en donde se desarrollan dos artesanías tradicionales, la fabricación de tinajas para el aceite y el vino y la elaboración de velones, calderos y ollas para la decoración.

Dice el refranero español que "quien no ha visto Sevilla no ha visto maravilla". La antigua *Hispalis* se encuentra emplazada en la margen izquierda del río Betis, nombre con el que los romanos conocían el Guadalquivir. Pero si fue esplendorosa la ciudad en épocas romanas y posteriormente árabes, en el siglo XVI se constituye en cabeza y metrópoli del Nuevo Mundo.

Tres monumentos enclavados en pleno corazón de **Sevilla** han sido declarados Patrimonio de la Humanidad. Los tres están asociados directamente con el descubrimiento de América. La catedral alberga el cenotafio de Cristóbal Colón; en el Alcázar, en la Sala de los Navegantes, se prepararon muchas expediciones, entre ellas las de Magallanes y Elcano, y en la Lonja se encuentra el Archivo de Indias, con la documentación más importante que existe sobre la conquista del Nuevo Mundo.

La catedral, de cinco naves, es el mayor edificio gótico de Europa. Construida sobre la antigua mezquita sólo conserva de ella la Giralda, el antiguo minarete construido entre 1172 y 1198 por Almanzor. En el siglo XVII fue coronada por una imagen de la Fe hecha de bronce, conocida popularmente como "el Giraldillo". Otro recuerdo de la Gran Mezquita árabe es el famoso patio de los Naranjos, situado al norte de la iglesia.

El Alcázar de Sevilla es un palacio-fortaleza edificado por los almohades para controlar posibles ataques a través del río Guadalquivir. De esa época se conservan su muralla almenada y varios recintos interiores como el patio de las Muñecas y el patio del Yeso. A partir del año 1248 se convirtió en residencia real. Bajo el reinado de Pedro I el Cruel se construyó un palacio en el interior del Alcázar que ilustra perfectamente el sincretismo del arte mudéjar. Aunque posteriormente se hicieron nuevas modificaciones siempre se respetaron sus características de palacio andaluz y sus jardines.

La Lonja está situada entre la catedral y el Alcázar. Para controlar el comercio con los colonos de América, Felipe II encargó a Juan de Herrera los planos de la nueva "Casa de Contratación". El arquitecto del monasterio de El Escorial imprimió en ella su estilo severo e inconfundible, pero una vez terminado el edificio no llegó nunca a utilizarse como Casa de Contratación, sino que en 1784 se convirtió en el Archivo General de Indias albergando en su interior una documentación única y todavía en vías de estudio.

La patria de Velázquez, Murillo, Zurbarán y Bécquer está unida inseparablemente al viejo Guadalquivir, cuyo puerto la relacionaba con el Nuevo Mundo. En su margen izquierda está implantada la Torre del Oro, cuyo nombre se debe, según unos, a que estaba revestida de azulejos con reflejos metálicos y, según otros, a que era el lugar donde los galeones procedentes del Nuevo Mundo depositaban el oro. De planta dodecagonal, fue construida en 1220 como defensa del puerto y torre extrema de una muralla.

En la arquitectura civil sevillana, además del Alcázar y la Lonja, destaca la Casa de Pilatos, prototipo del palacio andaluz comenzado a finales del siglo XV y concluido por don Fadrique de Ribera, primer marqués de Tarifa, al regresar de su viaje a Jerusalén en 1519. Su nombre proviene de una creencia popular según la cual don Fadrique reprodujo en su palacio el Pretorio romano de Jerusalén. El patio, con la fuente y las dos estatuas de Minerva, constituye una de las más bellas obras renacentistas hispalenses. Otros edificios singulares son el palacio de las Dueñas, del siglo XVI, actual residencia de los Duques de Alba, y el Ayuntamiento, uno de los más representativos edificios del plateresco español.

Pero lo más genuino de Sevilla son sus jardines y sus barrios en los que la luz y el olor embriagan al visitante. Entre los primeros, los más famosos son los del Parque de María Luisa, reformados por el jardinero francés Forestier sobre la base de un jardín bajo, albercas, surtidores y azulejería. Los vecinos jardines de las Delicias cubren toda la banda cercana al muelle del Guadalquivir y en el interior del Alcázar existen bellísimos jardines árabes, renacentistas y modernos. El barrio más típico de Sevilla es el de Santa Cruz, la antigua judería hispalense. Se trata de un laberinto de callejuelas con nombres cuajados de leyendas. De cuando en cuando una placita con su pequeño jardín rompe la estrechez de estas blancas calles. Es famosa la calle de Suson, la bella judía que al morir mandó que colocaran su calavera sobre la puerta de su casa como castigo de sus pecados y para que sirviera de ejemplo a los demás. El barrio de los Remedios, el de Triana y el de la Macarena son los más populares de la ciudad.

En las proximidades de Sevilla se localizan las ruinas de la ciudad romana de *Itálica* donde nacieron los emperadores Trajano y Adriano. El monumento que mejor ha resistido el paso del tiempo es su anfiteatro, obra de ladrillo y hormigón revestido con mármoles y sillería. También se conservan importantes restos de tres edificios termales. En el interior de la provincia, en la campiña sevillana, destaca la población de *Osuna,* la antigua *Urso* de la época ibérica, que conserva restos de un poblado ibero-romano, así como de su necrópolis. Su monumento más significativo es una colegiata del siglo XVI con originales obras platerescas. También situada en la campiña se encuentra *Écija,* la antigua *Astigi* de origen ibérico, población que suele registrar en el verano las más altas temperaturas de la Península. Posee un importante conjunto monumental con restos del recinto amurallado, suntuosos palacios como el del conde de Valhermoso de Cárdenas, el de Peñaflor y el de Valverde, además de numerosos edificios religiosos.

Al litoral atlántico andaluz, desde la Punta de Tarifa hasta la desembocadura del Guadiana, que forma frontera con Portugal, se le denomina la Costa de la Luz. Precisamente en estas tierras se desarrolló la más importante cultura prerromana de la Península, la de los Tartesos, cuyo imperio alcanzó un gran esplendor. Los pueblos de esta costa están íntimamente unidos al descubrimiento del Nuevo Mundo. Del puerto de **Palos de la Frontera,** a muy corta distancia de Huelva, partió Colón con sus tres carabelas en su primer viaje rumbo a lo desconocido. Su segundo viaje lo inició en el puerto de Cádiz y en el tercero zarpó de **Sanlúcar de Barrameda.**

Cádiz, fundación fenicia, es una de las ciudades más antiguas no sólo de la Península Ibérica, sino de todo el occidente europeo. Las noticias históricas más antiguas de esta ciudad se remontan a dieciocho siglos antes de Cristo, refiriéndose a su famoso templo de Hércules. En la necrópolis de Punta de Vaca se conservan diversos hipogeos fenicios. Las murallas que rodean la ciudad son del siglo XVI pero su monumento más importante es la catedral, de estilo barroco, que data del siglo XVIII. En el oratorio de San Felipe Neri, de planta oval, es donde se reunieron las Cortes de Cádiz durante los años 1811 y 1812.

En el interior de la provincia de Cádiz, en el macizo más occidental de la cordillera Bética, se encuentra el Parque Natural de la Sierra de Grazalema, que penetra en la provincia de Málaga. **Grazalema** registra el índice de pluviosidad más alto de la Península con una media anual superior a los 2.000 mm. La riqueza botánica de esta área protegida es excepcional. Junto a los alcornocales, encinares y quejigales hay que mencionar la presencia de los pinsapares. El pinsapo es una conífera endémica de la sierra de Ronda, una auténtica reliquia de la época de las glaciaciones, que ha sobrevivido en estos parajes hasta nuestros días.

Jerez de la Frontera, rodeada de viñedos, con las bodegas más célebres de España, ha dado nombre al mundialmente famoso jerez. En esta ciudad andaluza destaca la Colegiata, de los siglos XVII y XVIII, que todos los años sirve de marco a la popular ceremonia de la vendimia. Sus caserones y palacios de los siglos XVI, XVII y XVIII se entremezclan con iglesias y conventos o con los baños árabes de la torre del homenaje. Los caballos jerezanos y la escuela de equitación de caballos de raza forman parte de la ciudad.

En la margen derecha del río Guadalete se alza la ciudad blanca de **Arcos de la Frontera** con su dédalo de callejuelas empinadas que delata su origen medieval. Los blancos muros de sus casas y sus patios andaluces llenos de flores forman uno de los conjuntos con más personalidad del sur de España. El castillo de los duques de Arcos, el Ayuntamiento con su artesonado mudéjar y la iglesia de Santa María de la Asunción con sus principales monumentos, perfectamente encuadrados en el conjunto de la población.

En **Tarifa,** histórica villa donde se halla el castillo de los Guzmanes, situada frente al estrecho de Gibraltar, comienza la Costa de la Luz. Numerosas poblaciones costeras como **Zahara de los Atunes, los Caños de Meca, Conil de la Frontera, Sancti-Petri, San Fernando, El Puerto de Santa María, Rota, Chipiona y Sanlúcar de Barrameda,** en la margen izquierda del Guadalquivir, cuna del famoso vino, muy pálido y muy seco, conocido como "manzanilla", constituyen durante el verano importantes focos de turismo internacional.

En la margen izquierda del Guadalquivir se encuentra el Parque Nacional de Doñana, el mayor y más importante de los parques nacionales españoles. Doñana es un rincón salvaje de Andalucía donde el desierto se une con el vergel, el pino con el alcornoque y el jaguarzo con las eneas. Playas, dunas, lagunas, pinares, monte bajo, alcornoques, marismas... se suceden ininterrumpidamente en un espacio de muy pocos kilómetros. Doñana rezuma vida en todos sus rincones y entre su cielo, azul intenso durante la mayor parte de los días del año, y su recalentada tierra, especies amenazadas como los linces, las águilas imperiales, los meloncillos y los flamencos, junto con miles de anátidas migradoras, constituyen un santuario faunístico único en Europa. Lindando con el parque nacional se encuentra **El Rocío,** célebre santuario mariano al que el domingo de Pentecostés se dirigen millares de peregrinos con sus cofradías procedentes de toda España para rendir homenaje a la Blanca Paloma.

En la confluencia de los ríos Tinto y Odiel se levanta la ciudad portuaria de **Huelva,** de antigua tradición minera. Entre sus monumentos más significativos hay que señalar la iglesia de San Pedro, del siglo XVI, y el convento de la Merced, del siglo XVIII. Muy cerca de la ciudad se encuentra el puerto pesquero de **Palos de la Frontera,** cuyo nombre ha pasado a la historia por ser el lugar de donde salieron las tres carabelas de Cristóbal Colón, que descubrieron el Nuevo Mundo.

Las playas de la provincia de Huelva son largas, parecen interminables, formadas por finísima sílice. **Matalascañas, Mazagón, Punta Umbría, El Rompido, La Antilla** e **Isla Cristina** son las más famosas. Contrastando con la horizontalidad de sus costas, el interior de Huelva es muy montañoso, atravesado por numerosas sierras. Diversos pueblos de típico sabor andaluz siembran estas serranías; entre ellos hay que destacar a **Jabugo,** célebre por sus jamones de pata negra, o **Zalamea la Real,** en las proximidades de las minas de Río Tinto que ya fueron explotadas en la antigüedad por los fenicios, romanos y árabes.

LA MACARONESIA

El archipiélago canario constituye una avanzadilla española frente a las costas occidentales africanas en pleno océano Atlántico. Forma parte de un grupo de archipiélagos de claro origen volcánico, cuyo conjunto se ha denominado genéricamente la Macaronesia, palabra derivada del vocablo griego *makaris,* que quiere decir feliz. Lo más característico de estas islas, desde el punto de vista paisajístico, son sus manifestaciones volcánicas –algunas conservando todavía su actividad– y su excepcional manto vegetal con numerosos endemismos botánicos y con especies relícticas que datan de la Era Terciaria.

Conocidas ya por los historiadores y poetas griegos y latinos, que las denominaban "Islas Afortunadas", "Atlántida"…, las islas Canarias estuvieron habitadas por el pueblo guanche, una raza de alta estatura y piel clara que bajo el mando de un "mencey" ocupaba los mejores enclaves de este archipiélago favorecido por un clima benigno.

La Corona de Castilla comienza su conquista en 1401 y en 1496 los Reyes Católicos las hacen suyas. Antes de que todas las islas estuvieran bajo dominación española, Cristóbal Colón se detiene en el puerto de la Gomera para repostar allí sus naves en el primer viaje del Descubrimiento. Allí, el gran Almirante conoció a Beatriz de Bobadilla, esposa de Hernán Peraza, señor de la isla.

Si las islas Canarias son famosas por la benignidad de su clima y por la belleza de sus playas, hoy también se dejan conocer por sus parques nacionales y por su cultura, que se manifiesta en su variado folklore. Entre sus canciones y danzas populares destacan la isa y la folía, a las que acompaña como instrumento musical el "timple", una especie de ukelele que emite unos armoniosos sonidos. La fiesta por antonomasia del archipiélago es el famoso carnaval de Santa Cruz de Tenerife con su cabalgata multicolor, sus murgas y rondallas y sus comparsas de tipo "brasileiro" que alcanza su apoteosis en el "coro", el martes antes de Ceniza.

La Virgen de las Nieves, venerada en todas las islas, tiene una particular celebración en **Santa Cruz de la Palma,** donde tienen lugar cada cinco años las Fiestas Lustrales de la Bajada de la Virgen, instituidas en 1680. La bajada se realiza un domingo de julio y el 5 de agosto se devuelve la imagen a su santuario. Es ésta una fiesta religiosa en la que sin embargo intervienen una serie de elementos profanos como son la "Danza de los Enanos", el "Carro Alegórico y Triunfal" y el "Baile del Minué".

Relacionada con antiguas tradiciones guanches se celebra en **Agaete** (Gran Canaria) la "Bajada de la Rama", ceremonia realizada para impetrar la lluvia y en la que intervienen centenares de romeros que atraviesan la ciudad blandiendo ramas sobre sus cabezas, para terminar a la orilla del mar. También en Gran Canaria, en la localidad de **San Nicolás de Tolentino,** tiene lugar una celebración similar el 9 de septiembre que se prolonga dos días después con la "Fiesta del Charco", al que se lanzan calzados y vestidos centenares de hombres y mujeres.

Los platos tradicionales de la gastronomía canaria son el potaje de berros y de jaramagos, el popular "sancocho canario", a base de pescado salado con salsa picante, y el conejo al "salmorejo". Como acompañamiento típico ofrecen las patatas o papas arrugadas y una salsa picante especial denominada "mojo picón". El "gofio", harina de trigo, maíz o cebada previamente torrefactada, se utiliza en muchos guisos como sustituto del pan. El plátano y el tomate, principales productos agrícolas de la isla, intervienen también activamente en la gastronomía canaria. Como postre son exquisitos las tirijaras, los bienmesabes, el frangollo, el ñame con miel y los turrones de melaza y gofio.

La isla de Tenerife es la mayor del archipiélago canario, con más de dos mil kilómetros cuadrados de superficie. Está dominada por el pico del Teide, el techo de España, que se eleva a 3.718 metros de altitud. El Parque Nacional de las Cañadas del Teide comprende no sólo este grandioso volcán, sino además un antiguo y gigantesco cráter que constituye una inmensa caldera situada a una altitud media de 2.100 metros sobre el nivel del mar. En la base de sus paredes acantiladas se encuentran unos cauces o cañadas que reciben el nombre genérico de Cañadas del Teide. Estas cañadas, que durante la primavera se convierten en un auténtico jardín botánico, fueron utilizadas por los pastores guanches que practicaban la trashumancia.

Santa Cruz de Tenerife es la capital de la isla. Su templo más importante, la iglesia de la Concepción, posee cinco naves y guarda en su interior los recuerdos más valiosos de Canarias, entre ellos, la Cruz de la Conquista. Otra iglesia digna de mención es la de San Francisco, de estilo barroco, construida en el siglo XVIII. Entre los edificios civiles el Palacio de Carta, del siglo XVII, es el que mejor representa la arquitectura y la decoración regionales. Cerca del núcleo urbano se localizan dos centros turísticos muy populares: "Las Teresitas" y "Las Gaviotas". **La Laguna,** situada en el valle de Aguere, en el interior de la isla, es una ciudad universitaria, con sus casas señoriales y su catedral del siglo XVI. **El Puerto de la Cruz** se ha convertido en uno de los principales núcleos turísticos, por su atemperado clima, sus amplias playas y su interesante Jardín Botánico, construido en 1788. La **Orotava,** centro del bellísimo valle del mismo nombre, tiene fama por sus jardines y casas señoriales; en las denominadas "Casas de los Balcones" de esta ciudad, dos antiguas mansiones del siglo XVII construidas con la típica madera de tea, se expone una valiosa colección de artesanía.

La isla de la Gomera, de formas redondeadas y costas formadas por espectaculares acantilados, está dominada por el Paque Nacional de Garajonay, declarado Patrimonio de la Humanidad. En el parque se encuentra el núcleo más importante que se conoce de "laurisilva", una formación vegetal de tipo subtropical que data del Terciario y que se puede considerar una auténtica reliquia del pasado. En la isla son famosos los profundos barrancos con sus cultivos aterrazados, así como el lenguaje silbado que emplean sus habitantes para comunicarse de barranco a barranco. En la capital, **San Sebastián,** se conservan numerosos monumentos colombinos como la Torre del Conde, donde se hospedó el almirante Cristóbal Colón, la iglesia de la Asunción, donde oyó misa con su tripulación antes de emprender su aventura, y el Pozo de la Aguada, que abasteció las carabelas del descubridor.

La isla de Hierro, la más occidental y solitaria de las islas del archipiélago canario, posee un paisaje abrupto y montañoso, con la mayor parte de su costa fuertemente acantilada. Su capital, **Valverde,** enclavada en un pintoresco lugar, posee una interesante iglesia-fortaleza. **Sabinosa** es célebre por sus aguas medicinales y **La Restinga,** al sur de la isla, constituye una zona excelente para la pesca submarina y de superficie.

La isla de la Palma, también conocida como la "isla Bonita", posee en su interior uno de los mayores cráteres del mundo, situado en el Parque Nacional de la Caldera de Taburiente. La crestería de esta formación geológica de tres kilómetros de diámetro, tapizada en su interior por el pino canario, culmina en el Roque de los Muchachos, a 2.423 metros de altitud, donde se ha instalado un observatorio astrofísico. Este espectacular refugio natural fue un importante centro religioso del pueblo guanche y en el Roque de Idafe, en el interior de la Caldera, los primitivos habitantes de la isla rendían culto al dios Abora.

Santa Cruz de la Palma es la capital, con su pintoresca calle Real que desemboca en la plaza de España, en la que se sitúan el Ayuntamiento y la iglesia de El Salvador que datan del siglo XVI. Otros lugares de interés son **Los Llanos de Aridane,** importante centro agrícola, **Fuencaliente,** la población más meridional de la isla, con el volcán Teneguía, que erupcionó hace sólo unos pocos años, y **San Andrés y Sauces,** con el frondoso Bosque de los Tilos, poblado de gigantescos helechos.

La isla de Gran Canaria, la tercera en extensión después de la de Tenerife y Fuerteventura, se caracteriza por la variedad de sus paisajes, lo que ha motivado que se la considere "un continente en miniatura". Desde las moles graníticas del Roque Nublo, a 2.000 metros de altitud, hasta las dunas y playas salvajes de su litoral, se pueden encontrar abruptos acantilados como los del Puerto de las Nieves, escarpados barrancos como los de Tirajana, Moya y Azuaje, y espectaculares valles cubiertos por miles de plataneras como el de Arucas. Pinares, viñedos, cafetales, palmeras, almendros, caña de azúcar... convierten a esta isla en una mezcolanza de cultivos americanos, africanos y europeos.

En la ciudad de **Las Palmas,** que posee el puerto más importante de todo el archipiélago, hay que visitar el barrio antiguo de Vegueta, con sus viejas mansiones cargadas de historia en las que destacan los patios señoriales y las balconadas artísticamente trabajadas. En la parte vieja de la ciudad se encuentran la catedral, comenzada a edificar en 1497, y la Casa de Colón, residencia de los primeros gobernadores de la isla, hoy convertida en museo de la época colombina. Uno de los pueblos más antiguos de la isla es **Ingenio,** famoso por su artesanía de calados y bordados. La Playa del Inglés y la de Maspalomas, esta última de seis kilómetros de longitud, atraen durante los doce meses del año a millares de turistas. El valle de Mogán, donde se cultivan frutos tropicales, y la feracísima vega de Arucas con sus extensas plataneras son lugares que, sin olvidarse de **Gáldar,** una ciudad en la que se conservan numerosos vestigios de la cultura guanche, merece la pena conocer.

Puerto Rosario es la capital de Fuerteventura, un lugar que ofrece al visitante espectaculares e interminables playas a lo largo de su extensísima línea de costa. Además, las Dunas de Corralejo y la Isla de Lobos, un parque natural situado al norte de la isla, posee un singular ecosistema con numerosos endemismos tanto de fauna como de flora.

Y si Fuerteventura nos fascina con sus playas, Lanzarote lo hace con la negra tierra de sus volcanes. Llegar a la isla es como acceder a un planeta extraño. Sucesivas erupciones volcánicas, las más recientes durante el siglo XIX, arrasaron miles de hectáreas transformando sus paisajes en algo apocalíptico. El Parque Nacional de Timanfaya es un canto a los fenómenos de la naturaleza y a las fuerzas internas de la corteza terrestre. La extensa y rugosa superficie del llamado "mal país" se ve rota por una larga serie de conos y cráteres. A través de la Ruta de los Volcanes, en el interior del parque nacional, el viajero puede asomarse a los paisajes más singulares y a cráteres de diferentes épocas históricas.

La capital, **Arrecife,** sorprendentemente blanca, posee un puerto pesquero protegido por los castillos de San Gabriel y San José. En el norte de la isla existe un mirador, la Batería, desde el que se divisa una amplísima panorámica de las islas Graciosa y Alegranza.

A pesar de los terrenos calcinados, el isleño se las ha ingeniado para dominarlos e instalar sobre ellos una próspera agricultura. Así, **La Geria,** en el centro de Lanzarote, se presenta como una infinita sucesión de pequeños cráteres preparados por el hombre, en cuyo interior crecen las vides que darán origen al exquisito vino de malvasía. Al extender el agricultor sobre los terrenos las cenizas volcánicas, éstas absorben el rocío de la noche proporcionando el grado de humedad necesario para que las plantas se desarrollen. También es típica la producción de la cochinilla, que se cultiva de forma artesanal sobre las chumberas para obtener el pigmento rojo del carmín.

El archipiélago canario, que como cita Platón en sus **Diálogos** podía haber formado una parte de la legendaria Atlántida, es como un microcontinente en donde se pueden encontrar una infinidad de paisajes, desde tierras calcinadas por las lavas, hasta vergeles, como los bosques de laurisilva, pasando por el pico más alto de España.

A MANERA DE EPÍLOGO

El objetivo de estas páginas ha sido descubrir España. Ya decíamos en la introducción que no resultaba fácil ni sencillo plasmar en un número limitado de páginas una cultura que se remonta a las épocas prehistóricas. Este libro sólo ha pretendido dar unas pinceladas de lo que España puede ofrecer a quien quiera descubrirla. Al lector corresponde profundizar en su historia y su cultura, gozar de sus maravillosos paisajes y enriquecerse con su desbordante patrimonio cultural e histórico. Si estas páginas han servido para conseguirlo, habrán cumplido el objetivo para el que fueron escritas.

EN MADRID,
EL MARTES 30 DE MAYO DE 1995,
FESTIVIDAD DE SAN FERNANDO,
ACABÓSE DE IMPRIMIR ESTE LIBRO EN
LAS PRENSAS DE JULIO SOTO.